C0-ASH-364

Alicia
en el País de las Maravillas

Lewis Carroll

Ilustraciones de
John Tenniel

Título original: *Alice's Adventures in Wonderland*
Ilustraciones: John Tenniel
Traducción: Juan Gutiérrez Gili

www.biblok.es

Derechos de distribución limitada y exclusiva
para Latinoamérica: Ediciones Milla, S.L.

DL B 1877-2016
ISBN: 978-84-944580-7-1

Impreso en España - *Printed in Spain*

Alicia
en el País de las Maravillas

Lewis Carroll

Ilustraciones de
John Tenniel

Índice

Prefacio

En el dorado anochecer
bogamos lentamente;
los brazos siéntense ceder
al remo débilmente.
¡Qué dichoso desfallecer
las manos sin oriente!

Y qué implacable triple voz
suena en el dulce olvido
pidiendo extrañas invenciones,
de quieto y lírico sentido.
¿Cómo callar indiferente
sintiendo su latido?

Dice apremiante la primera
voz que comience el cuento
la segunda no nos reclama
lógica de argumento,
y nos acucia la tercera
con anheloso acento.

¡Oh, qué silencio más profundo
se impone a todo ruido!

Es la tierra un maravilloso
país desconocido,
lleno de seres que convierten
en real lo fingido.

Cuando la fuente imaginaria
se agota en la inventiva
y a los cristales del ensueño
la luz se les esquiva:
«¡Siga el cuento —claman los seres—
que tanto nos cautiva!»

Así el país maravilloso
sobre el yunque del yo,
episodio tras episodio,
su leyenda forjó,
y al ocaso, un mundo de amigos
el alma nos pobló.

Recibe, Alicia, este pueril
libro con mano tierna
y ponlo allí donde la infancia
salva la vida interna,
como el ferviente peregrino
guarda una flor eterna.

En la madriguera

Capítulo 1

Alicia empezaba a sentirse cansadísima de estar sentada en un margen, al lado de su hermana, sin saber qué hacer: por dos veces había atisbado el libro que ella leía, pero era un libro sin grabados, sin diálogo, y «¿de qué sirve un libro —se dijo Alicia— si no tiene diálogo ni grabados?».

Y de la mejor manera que le permitían la somnolencia y el atontamiento en que la había sumido el calor de aquella jornada, consideraba en su fuero interno si valdría la pena entretenerse en arrancar margaritas por el gusto de hacer una cadena con ellas, cuando de pronto saltó a su lado un Conejo Blanco de ojuelos encarnados.

No había en ello nada de extraordinario, ni le pareció a Alicia cosa fuera de lo corriente, oír que el Conejo se dijera a sí mismo:

—¡Dios mío! ¡Dios mío! Voy a llegar tarde. Cuando lo reflexionara después, comprendería que debía haberse maravillado, pero en tanto le parecía la cosa más natural del mundo; no obstante, viendo que el Conejo se sacaba un reloj del bolsillo del chaleco, lo miraba y echaba a correr, Alicia se puso en pie, porque enseguida reflexionó que nunca había visto un conejo con chaleco, ni con reloj para saber la hora, y, encendida la curiosidad, se fue corriendo por el campo y llegó a tiempo de ver que el Conejo se metía de cabeza en una gran madriguera al pie de una barda.

En un instante, Alicia se metió detrás de él sin pensar ni remotamente si le sería posible salir.

La madriguera empezaba siendo horizontal como un túnel, pero luego se hundía bruscamente, tanto, que Alicia no tuvo tiempo de pensar en detenerse, pues se encontró con que se caía por un sitio semejante a un hondo pozo.

O el pozo era profundísimo, o ella caía muy despacio, porque, si no había tenido tiempo de pensar en detenerse, en cambio lo tuvo para mirar alrededor y preguntarse qué era lo que iba a suceder. Enseguida procuró mirar al suelo, porque quería ver dónde pisaría; pero estaba demasiado oscuro para ver nada. Luego miró a las paredes del pozo, y observó que estaban llenas de armarios y de anaqueles de libros; aquí y allá vio algunos mapas y cuadros colgados de unos ganchos. Cogió una jarra de uno de los estantes, al pasar; tenía un marbete que decía «MERMELADA DE NARANJA»; mas, para desencanto suyo, estaba vacía. No le pareció bien arrojarla al fondo por temor de matar a alguien; así es que procuró dejarla en otro de los estantes mientras iba descendiendo.

«¡Bien —pensó Alicia—, después de una caída como esta no hay miedo de rodar por las escaleras! ¡Qué valiente me van a encontrar en casa! ¡Como que ni he de quejarme cuando me encuentren, aunque esto sea que me he caído del tejado», cosa que le parecía muy dentro de lo posible.

Y, en tanto, bajaba, bajaba, bajaba. ¿No acabaría nunca aquel descenso?

—¿Cuántos kilómetros habré bajado ya? —se preguntó en voz alta—. Llegaré a algún sitio cerca del centro de la tierra. A ver: creo que lo menos he corrido hacia abajo seis mil kilómetros.

Alicia había aprendido algo de eso en las lecciones que daba en el colegio, y por más que no fuera aquella una excelente ocasión para hacer gala de sus conocimientos, ya que nadie podía oírla, le pareció bien hacer un poco de repaso.

—Sí, ésta es aproximadamente la distancia que he recorrido... Pero ¿hacia qué latitud o longitud me encamino?

No tenía Alicia la menor idea de lo que las palabras latitud y longitud significasen, pero se le antojaba que estaba bien pronunciar vocablos tan bellos y sonoros. Pronto volvió a decirse:

—¡No sé si estoy cayendo a través de la tierra! ¡Qué divertido sería salir por el otro lado, donde la gente anda de cabeza! Los «antipáticos»; creo que se llaman así. —Ahora se alegraba de que nadie la oyera, pues no le sonaba del todo apropiada esa palabra—. Pero, claro, bien tendré que preguntarles el nombre de su país. «¿Tiene usted la bondad, señora, de decirme si esto es Nueva Zelanda o Australia?»

Y así pensando, trataba de ensayar cortesías. ¡Cortesías, al paso que caía por el espacio! ¿Cómo se las compondría?

—¡Pero qué ignorante iba a parecerle al señor a quien hiciera tal pregunta! No, no es cosa de ir preguntando. Acaso lo vea escrito en alguna parte.

Abajo, abajo, abajo. No cabía hacer otra cosa. Así es que Alicia pronto reanudó el monólogo:

—Creo que *Dina* me echará mucho de menos esta noche. —*Dina* era la gata—. Me figuro que no se olvidarán de ponerle su platito de leche a la hora de merendar. ¡*Dina*, querida mía, quisiera tenerte aquí, a mi lado! Es verdad que en el aire no hay ratones, pero podrías cazar algún murciélago, pues los murciélagos, ¿sabes?, se parecen mucho a los ratones. Ahora, que yo no sé si a los gatos les gustan los murciélagos. —Y a esto, Alicia empezó a adormecerse de una manera extraña, repitiéndose—: ¿Comen murciélagos los gatos? ¿Comen murciélagos los gatos? —Y a veces se equivocaba—: ¿Comen gatos los murciélagos? —porque, ¿comprendéis?, como no podía contestarse, no importaba alterar así la pregunta. Empezaba a sentir que se dormía de veras, soñando que paseaba de la mano con *Dina*, e iba diciéndose con viva impaciencia—: Ahora, *Dina*, dime la verdad: ¿has comido alguna vez murciélago? —cuando, de pronto, ¡cataplum!, fue a dar sobre un montón de ramas y hojas secas, donde terminó su viaje por el espacio.

No sufrió el menor daño y se puso en pie de un salto. Miró hacia arriba, pero allá estaba oscuro; enfrente de ella se extendía otro largo pasillo, y el Conejo Blanco corría hacia abajo aún al alcance de su vista! No había momento que perder; siguió por allí Alicia, ligera como el viento, y todavía llegó a tiempo de oírle decir al volver una esquina:

—¡Válganme mis orejas y mis bigotes, y qué tarde se me hace!

Alicia llegó casi al mismo tiempo que el Conejo a la esquina, pero él dobló rápidamente y ella le perdió de vista. Se encontró sola en una larga sala alumbrada por una hilera de lámparas que colgaban del techo. Había puertas alrededor, pero todas estaban cerradas, y, después de ir de un lado a otro probando de abrirlas inútilmente, se dirigió al centro de la estancia pensando cómo se las compondría para salir de allí.

Al pronto se dio cuenta de que había una mesa de tres patas toda de cristal macizo. No había encima de ella más que una llavecita dorada, y lo primero que se le ocurrió a Alicia fue pensar que sería de alguna de las puertas de la sala. Pero, ¡ay!, para unas cerraduras era grande y en otras iba demasiado holgada, y de ninguna manera pudo abrirlas.

Sin embargo, a la segunda vuelta advirtió que había una cortinilla ocultando una portezuela que no llegaría a un metro de altura. Probó allí la llave, y con alegría vio que iba bien.

Alicia abrió la puerta y se encontró con que daba a un angosto pasadizo, no mucho más ancho que una madriguera. Se arrodilló para mirar por allí y vio que al otro lado se extendía el jardín más delicioso que imaginar pudiera. ¡Cuántas ganas tenía de salir de aquella oscura sala e ir a pasear entre aquellos macizos de vistosas flores y aquellas frescas fuentes!, pero apenas podía meter la cabeza por la abertura.

«Aun suponiendo que mi cabeza pasara —pensó la pobre Alicia—, de poco me serviría, separada de los hombros. ¡Oh, cuánto me gustaría poderme encoger como un telescopio! Y creo que podría hacerlo con sólo saber cómo empezar.» Porque hay que comprender que habían comenzado a pasar cosas tan extraordinarias, que Alicia ya creía que apenas había nada en realidad imposible.

Poco sacaría de estar esperando delante de aquella abertura; así es que volvió a la mesa de cristal con la confianza de encontrar otra llave, o,

en último caso, algún manual de reglas para enseñar a la gente a encogerse como los telescopios. Lo que encontró esta vez fue una botellita, que, «en verdad, no estaba la vez anterior», se dijo Alicia, y que llevaba atado al cuello un marbete con la palabra «Bébeme» lindamente impresa en grandes caracteres.

Estaba muy bien decir «Bébeme», pero la pequeña y prudente Alicia no lo haría con precipitación.

«No, antes la quiero examinar bien, no sea que tenga la indicación de "Veneno"», pues muchas veces había leído historias de niños que se quemaron y que incluso fueron devorados por las fieras, y cosas por el estilo, todo ello por olvidarse de las indicaciones sencillas que las personas que les querían les habían hecho, tales como que el tener demasiado rato cogido el hurgón de la chimenea quema la mano, y que al hacer uno un corte hondo en un dedo sale sangre, y lo que ella nunca olvidaba, o sea que el beber el contenido de una botella que lleve la indicación de «Veneno» suele, a la corta o a la larga, hacer daño.

Aquella botella, no obstante, no tenía tal indicación, por lo cual Alicia se aventuró a probar su contenido; y, encontrándolo en verdad delicioso, pues tenía una especie de mezcla de sabores de tarta de cerezas, de almíbar, de pina, de pavo asado, de caramelo y de tostadas calientes con mantequilla, se lo acabó en un momento.

****

—¡Qué sensación más extraña! —exclamó Alicia—. Debo de estar encogiéndome como un telescopio.

Y así era, en efecto; ya no tenía más que veinticinco centímetros, y se le encendieron los ojos de alegría pensando que tendría la medida para pasar por la abertura del jardín. De todos modos, esperó un poco, para convencerse de que no se encogía ya más; y se sintió inquieta al pensarlo.

«Porque podría suceder —se decía Alicia para sus adentros, como comprenderéis— que llegara a acabarme del todo como una bujía. Y, la verdad, no sé lo que sería de mí, entonces.»

Y se esforzaba por imaginarse cómo es la llama de una bujía cuando se apaga, y no recordaba haberlo visto nunca.

Al cabo de un rato, viendo que no pasaba nada más, decidió salir enseguida al jardín. Pero, ¡ah, pobre Alicia!, al llegar a la puerta encontró con que se había olvidado de la llavecita dorada, y al volver a buscarla vio que ya no alcanzaba a cogerla de la mesa. La veía claramente a través del cristal e hizo cuanto pudo por encaramarse por una de las patas, pero era muy resbaladiza y, cuando se rindió de tal esfuerzo, la pobrecilla se sentó en el suelo y se echó a llorar.

DRINK ME

—¡Vamos, que no sacarás nada llorando de esta manera! —se dijo Alicia a sí misma con un poco de dureza—. Te aconsejo que dejes de llorar ahora mismo.

Con frecuencia se daba excelentes consejos, que casi nunca seguía, y a veces llegaba a reprenderse con tal severidad, que se arrancaba lágrimas de los ojos; hasta se acordaba de que una vez se quiso tirar de las orejas por haberse engañado en una partida de cróquet que había estado jugando ella sola, pues esta curiosa criatura era muy dada a fingir desdoblamiento de su persona, creyendo ser dos en vez de una. «Pero de nada me servirá ahora —pensaba la pobre Alicia— pretender ser dos personas, cuando ¡bastante tengo con hacerme una sola persona respetable!»

Pronto su mirada se fijó en una cajita de cristal que había debajo de la mesa; la abrió y encontró dentro una diminuta torta en la que se leía esta palabra: «Cómeme», que estaba trazada con almíbar de grosella.

—Bien, me la comeré —se dijo Alicia—, y si me hace crecer otra vez, podré coger la llave, y si me hace más pequeña todavía, pasaré por debajo de la puerta, así, de todas maneras, entraré en el jardín, y que pase lo que Dios quiera.

Dio un mordisquito y se preguntó, llena de ansiedad.

—¿Hacia dónde?, ¿hacia dónde?

Y se llevaba la mano a la cabeza para comprobar si crecía o disminuía, pero le sorprendió mucho encontrarse con que continuaba de la misma manera. Esto es, en efecto, lo que pasa siempre que se come torta, pero Alicia se había acostumbrado de tal manera a no esperar más que cosas extraordinarias, que le pareció muy triste y estúpido seguir viviendo de una manera normal.

Así es que tomó una decisión y en un momento se comió toda la torta.

La balsa de lágrimas

Capítulo 2

¡Cómo! ¡Qué extrañísimo, qué curiosura! —exclamó Alicia, tan llena de asombro, que por un momento se le olvidó hablar con propiedad—. ¡Pues no estoy alargándome como el telescopio más grande del mundo! ¡Adiós, pies míos!

Tanto había crecido, que sus ojos apenas veían ya sus pies.

—¡Oh, pobres piececitos míos; ahora no sé quién os podrá calzar, quién os pondrá los calcetines y los zapatos! ¡Porque estoy segura que yo misma no voy a poder! Voy a encontrarme muy lejos de vosotros para poderos cuidar: os tendréis que arreglar como podáis... Pero tendré que ser amable con ellos —siguió diciéndose Alicia—, porque si se enojan no me querrán llevar por donde yo quiera. ¿Qué puedo hacer por ellos?... ¡Ah, sí, comprarles siempre un par de zapatos nuevos por Navidad!

Y a este tenor continuó la niña haciendo proyectos:

—Mis pies tendrán que acompañar al repartidor de los regalos —se decía—. ¡Y qué chocante será eso de mandarse uno regalos a sus propios pies! ¡Y qué chocantes serán la señas!:

»Al señor Pie Derecho de Alicia,
en la manta de la chimenea,
junto al guardafuegos
(con todo el cariño de Alicia).

»¡Válgame Dios, y qué tonterías estoy diciendo!

En este momento llegó a tropezar con la cabeza en el techo de la sala. En efecto, ahora pasaba de dos metros setenta y cinco centímetros de altura; cogió la llavecita dorada y se apresuró a volver a la puerta que conducía a la abertura del jardín.

¡Pobre Alicia! No podía hacer otra cosa sino tumbarse de lado y atisbar con un ojo el jardín. Entrar le sería más difícil que nunca. Se sentó y otra vez se puso a llorar.

—¡Debieras avergonzarte de ti misma! —se reprochó Alicia—. ¡Llorar de esta manera una muchacha tan crecida —bien podía decirlo— como tú, como yo! ¡Calla al punto, te digo!

Pero, ¡ca!, siguió vertiendo litros de lágrimas hasta llegar a formar una gran balsa que cubría la mitad del suelo de la sala y que tenía diez centímetros de profundidad.

Al cabo de un rato oyó un lejano ruidillo de patitas y se enjugó los ojos para ver quién llegaba. Era el Conejo Blanco, que volvía espléndidamente vestido, trayendo en una mano un par de guantes de gamuza y un gran abanico en la otra. Llegó este personaje presurosamente diciendo entre dientes:

—¡Oh, la Duquesita, la Duquesita! ¡Ojalá no esté enojada conmigo por haberle hecho esperar tanto!

Tan desesperada se sentía Alicia, que estaba dispuesta a pedir socorro a cualquiera que fuese; de modo que cuando el Conejo se le acercó, empezó a decirle con timidez:

—¿Tendría usted la bondad, caballero... ?

Pero el Conejo se dio bruscamente a la fuga, dejando caer los guantes de gamuza y el abanico, y se desvaneció descortésmente por la oscuridad lo más ligero que pudo.

Alicia recogió el abanico y los guantes y, como hiciera bastante calor en aquella sala, se puso a abanicarse murmurando:

—¡Señor, Señor, y qué extrañas son todas las cosas que están pasando hoy! ¡Y pensar que ayer todo pasaba como es debido! ¿Me habré cambiado en otra mientras dormía anoche? Pensemos: ¿era yo la misma esta mañana, al levantarme? Diría que entonces era algo distinta de como soy ahora. Pero siendo así, habiendo cambiado de esta manera, ¿quién debo de ser ahora? ¡Ah, qué gran rompecabezas!

Y se puso a hacer memoria de todas las niñas que conocía y que tenían aproximadamente su misma edad, pues temía haber sido transformada en alguna de ellas.

—Estoy segura de que no soy Ada —se decía—, pues a ella el pelo le cuelga en largos tirabuzones, y a mí no. También estoy segura de que no puedo ser Mabel, pues yo estoy enterada de todo, y ella..., ¡oh, qué pocas cosas sabe Mabel! Además, que ella es ella, y yo soy yo..., ¡ay, cielos, qué desconcertante es todo esto! Voy a ver si me acuerdo de todas las cosas que sabía. Veamos: cuatro por cinco, doce; cuatro por seis, trece, y cuatro por siete..., nada,

nada, no puedo llegar de ninguna manera a veinte. De todos modos, no acordarse de la tabla de multiplicar no quiere decir nada. A ver la geografía: Londres es la capital de París, París es la capital de Roma y Roma es la cap..., no, no, nada de eso; me equivoco, estoy segura de ello. ¡Me han debido de cambiar por Mabel! Voy a hacer otra prueba: «¡Como le crece al cocodrilo...!»

Así diciendo, cruzó las manos sobre la falda, como si estuviera repasando una lección; y volvió a repetir esas palabras, pero la voz le sonaba áspera y extraña, y las palabras no le salían como de costumbre al repetir la fábula del cocodrilo:

¡Cómo le crece al cocodrilo
la reluciente y larga cola,
y va tragando agua del Nilo
porque no suele venir sola!

Ríe su boca puntiaguda,
abre sus zarpas fieramente,
y a todos los peces saluda
y los devora sonriente.

—Estoy segura de que no es así —dijo la pobre Alicia, y se le empezaron a llenar otra vez los ojos de lágrimas—; debo de ser Mabel, no hay duda, no hay duda, y ¡tendré que ir a vivir a aquella casita y no tendré juguetes, y siempre un horror de lecciones que aprender! Pero no, estoy resuelta; si ahc soy Mabel, no saldré de aquí. Será en vano que se asomen a lo alto y me griten: «¡Sal de ahí, nena!», porque me limitaré a levantar la cabeza para preguntarles: «Pues decidme, ¿quién soy? Contestadme primero, y luego, si me gusta ser tal persona, ya saldré; de lo contrario, no me arrancan de aquí hasta convertirme en otra». Pero, ¡ay, mamá! —exclamó Alicia rompiendo en una cascada de llanto—; quisiera que os asomarais para verme. ¡Estoy tan cansada de verme sola!

Y así diciendo se dio cuenta de que se había puesto mecánicamente uno de los diminutos guantes de gamuza del Conejo.

«¿Cómo he podido hacerlo? —pensó—. Me he debido de volver pequeñita otra vez.»

Se levantó y se acercó de nuevo a la mesa para medirse la talla; y se encontró con que, casi tal como lo había sospechado, llegó a reducirse de tal manera que ahora no levantaba del suelo poco más de medio metro, y aún continuaba achicándose rápidamente. Pronto se percató de que la causa de ello estaba en el abanico que tenía en la mano, y lo soltó al punto, a tiempo de no llegar a desaparecer del todo.

—¡Por poco me he salvado! —exclamó Alicia, bastante alarmada ante la nueva transformación, pero contentísima de verse sana y salva—. ¡Ahora, al jardín!

Y así diciendo, echó a correr con todas sus fuerzas hacia la puertecita de salida; pero, ¡ay!, volvía a estar cerrada, y la llavecita dorada continuaba encima de la mesa de cristal.

—¡La cosa está peor que nunca —exclamó la pobre criatura—, porque ahora soy mucho más pequeña aún que antes! ¡Confieso que esto es ya imposible!

Al pronunciar estas palabras, ¡tras!, resbaló y se encontró con que había caído en un sitio repleto de agua salada que le llegaba hasta más arriba del cuello. Al pronto se le antojó que se había caído al mar.

—Siendo así, ¡podré volver en tren! —se dijo, porque Alicia, que fue una vez a cierta playa en verano, llegaba a la conclusión de que en todas las costas debe de haber barcas y patines para los bañistas, niños en la arena jugando con sus palas de madera, una fila de casetas y detrás la estación del ferrocarril. Sin embargo, pronto se dio cuenta de que donde había caído era en la balsa de lágrimas que había formado al llorar cuando medía dos metros y setenta y cinco centímetros.

»¡Ojalá no hubiera llorado tanto! —dijo Alicia, probando de nadar para encontrar el suelo seco—. Supongo que mi castigo será ahogarme en mi propio llanto. Ciertamente que sería cosa extraña, pero es que hoy todo lo es.

Luego oyó un chapoteo que alguien hacía cerca de ella, y se volvió hacia allí para ver lo que pasaba. Al pronto temió que se tratara de una morsa o de un hipopótamo; pero se acordó de lo minúscula que se había hecho, y comprendió que todo se le hacía grande y que no se trataba sino de un ratón que se había caído como ella.

—¿Valdrá la pena hablar ahora a ese ratón? —se preguntó Alicia—. La verdad es que todo está sucediendo de una manera tan poco corriente en estas profundidades, que creo muy posible que el ratón sepa hablar, y, al fin y al cabo, por dirigirle la palabra, nada saldré perdiendo.

Razonando de esta manera, le dijo:

—¡Oh ratoncito! ¿Sabe usted cómo salir de este charco? ¡Ay, qué cansada estoy, ratoncito, de nadar de un lado a otro!

Alicia supuso que a un ratón se le tenía que hablar así; nunca se había visto en tal caso, pero recordaba haber leído en la gramática latina de su hermano lo siguiente: «El ratón; del ratón; a, o para el ratón; ¡oh ratón!; con, de, en, por, sin, sobre, tras el ratón».

El ratónenlo la miró con ojos un poco inquisitivos, y aun le pareció que guiñaba un poco el ojo, pero no le dijo nada.

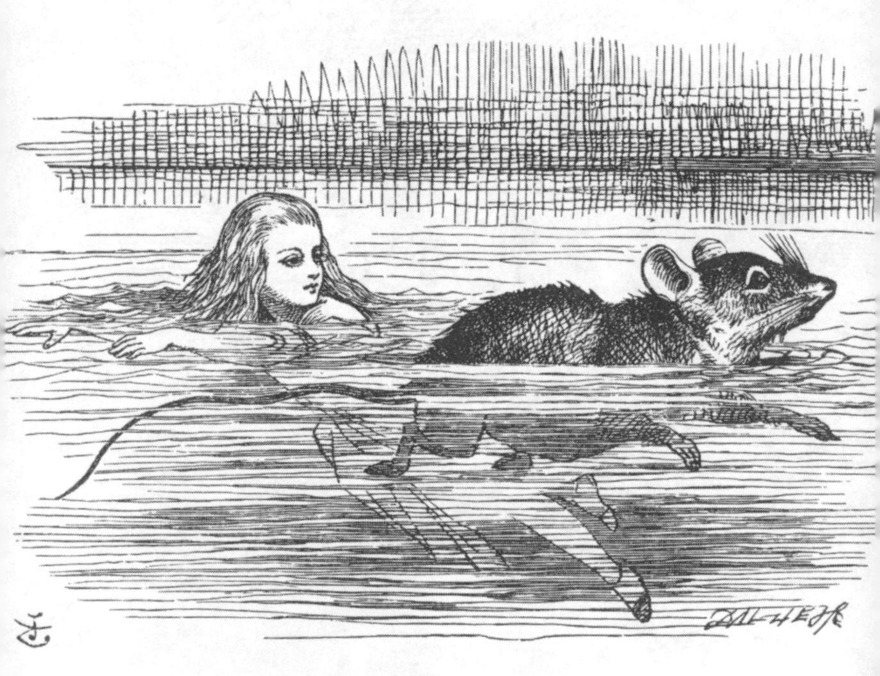

«Acaso no entienda el castellano —pensó Alicia—. Será un ratón francés, de los que vendrían con Napoleón.»

Alicia, a pesar de sus conocimientos históricos, no tenía una clara noción de cuánto tiempo había transcurrido, y no sabía que de los ratones del tiempo de Napoleón no vivía ya ninguno. Así es que se le ocurrió preguntarle:

—*Où est ma chatte?* —que era la primera frase de su libro de francés.

Al oír esto, el ratón dio un brinco inesperado por encima del agua, temblando de miedo al parecer.

—¡Ay, usted perdone! —se apresuró a exclamar Alicia, temerosa de haber herido al pobre animal en sus sentimientos—. Se me olvidaba que no le gustan los gatos.

—¡Que no me gustan los gatos! —exclamó el ratón con voz dramática y chillona—. ¿Te gustarían a ti los gatos si fueses ratón?

—Claro, es posible que no —dijo Alicia suavizando el tono de su voz—. No hay que enfadarse por eso. Con todo, a mí me gustaría que usted pudiera ver a nuestra gatita *Dina*; creo que le empezarían a ser simpáticos los gatos con solo verla. ¡Es un animalito muy lindo y muy pacífico!

Alicia continuó como hablando para sí misma, en tanto que seguía nadando descuidadamente:

—Y se enrosca runruneando tan graciosa junto al fuego, y se lame tan bien las patitas, y se lava con tanta monería la cara..., y es tan agradable tenerla en brazos..., y es tan valiente cazando ratones... ¡Oh, perdón! —exclamó otra vez Alicia, pues el ratón ahora se erizaba con verdadero susto, y era natural que sintiera un gran enojo—. Si no le gusta, no volvamos a hablar de ella.

—Naturalmente —respondió el ratón, que temblaba desde la punta de las orejas a la del rabo—. Pero lo dices como si yo hubiera hablado nunca de eso.

Nuestra familia siempre aborreció a los gatos: ¡Son una cosa repugnante, miserable y vulgar! ¡Que no vuelva a oír yo ese nombre!

—Le prometo no volver a pronunciarlo —dijo Alicia, apresurándose a cambiar de conversación—. ¿Es usted amigo... amigo de... de los perros?

El ratón no respondió; así es que Alicia agregó, llena de incertidumbre:

—Hay cerca de casa un perrito tan mono que me gustaría que lo conociera. Es un pequeño terrier de ojillos brillantes, ¿sabe usted?, y tiene el pelo largo y ensortijado; y cuando se le arroja algo, lo va a buscar corriendo, y se sienta para pedir la comida, y sabe hacer muchas cosas..., no puedo acordarme de todo... Su amo es un labrador que tiene una granja, y dice que su perro es tan servicial que no lo daría por cien libras. Dice que mata todas las ratas y que..., ¡oh, qué digo, tonta de mí! —dijo interrumpiéndose la niña con gran sentimiento—. ¡Ahora sí que he debido de enojarle de veras!

Y así debía de ser, en efecto, pues el ratón se había lanzado otra vez a nado con todas sus fuerzas, para alejarse de ella, y al hacerlo agitaba toda el agua de la balsa. Entonces ella exclamó dulcemente, yendo en pos de él:

—¡Ratoncito, ratoncito lindo! ¡Vuelva, vuélvase atrás, que no hablaremos de gatos ni de perros, si no le gusta!

Oyendo estas palabras, el ratón se volvió y se acercó a ella nadando tranquilamente. Le pareció a Alicia que tenía la cara muy pálida de rabia, y él le dijo con una vocéenla temblorosa:

—Vamos a la orilla, y te contaré mi historia, para que comprendas por qué aborrezco a los gatos y a los perros.

Era ya hora de ir a la orilla, pues todo el lago se estaba poblando de pájaros y animales que iban cayendo. Había un Pato, un Lorito, un Pájaro Bobo y un Aguilucho, entre otras diversas y curiosas criaturas. Alicia dirigió la marcha y todos la siguieron nadando hasta la orilla.

Carrera de conjurados y una larga historia

Capítulo 3

Es verdad que formaban una partida extraña, una vez todos en la orilla. Las aves tenían las plumas sucias de barro, los otros animalitos tenían el pelo pegado a la piel, y todos chorreaban, malhumorados y molestos. La primera cuestión que se les planteó fue, naturalmente, la de cómo se secarían. Empezaron a deliberar, y al poco le pareció a Alicia muy natural conducirse y hablar con ellos con la misma familiaridad que si les hubiera conocido toda la vida. En efecto, sostuvo una detenida conversación con el Lorito, y este por fin se volvió dominadoramente y dijo:

—Yo soy el más viejo y, por tanto, el que está más enterado de las cosas.

Pero Alicia no quiso que continuara sin decir primeramente cuántos años tenía, y como quiera que el Lorito se resistiera a confesarlo, no se le permitió decir una palabra más.

Por fin, el Ratón, que parecía persona de autoridad entre ellos, dijo levantando la voz:

—¡Sentaos todos y oídme! Yo haré que os sequéis en un momento.

Se sentaron todos en círculo, y el Ratón en medio. Alicia le miraba con ansiedad, pues estaba notando que, como tardase un poco más en secarse, iba a coger un mal resfriado.

—¡Ajajá! —dijo el Ratón dándose importancia—. ¿Estáis todos a punto? Esta es la cosa, que yo sepa, más eficaz para secarse. ¡Tenga la bondad de guardar silencio toda la concurrencia! Guillermo el Conquistador, cuya causa era apoyada por el Papa, pronto se impuso a los ingleses, los cuales querían un jefe, y estaban desde hacía mucho tiempo acostumbrados a las usurpaciones y las conquistas. Los caballeros Edwin y Morcar, condes de Mercia y Northumbria...

—¡Uf! —exclamó el Lorito removiéndose.

—Usted perdone —le dijo el Ratón frunciendo el ceño, aunque con mucha cortesía—: ¿decía usted algo?

—¡No, yo no! —repuso el Lorito apresuradamente.

—Me había parecido —dijo el Ratón—. Sigamos: decía que Edwin y Morcar, condes de Mercia y Northumbria, votaron por Guillermo el Conquistador, y hasta Stingard, el patriótico arzobispo de Canterbury, encontró conveniente...

—¿Qué es lo que encontró? —preguntó el Pato.

—Lo encontró razonable —repuso el Ratón, indignado—. Por supuesto, que usted entiende lo que encontrar así una cosa quiere decir.

—Sí, yo comprendo lo que quiere decir encontrar. Siempre que encuentro algo suele ser una rana o un gusano. Ahora bien, lo que yo pregunto es: ¿qué cosa encontró el arzobispo?

El Ratón hizo como quien no oye, a esta pregunta impertinente, y se apresuró a reanudar la disertación.

—El arzobispo de Canterbury encontró conveniente ir él mismo en compañía de Edgar Atheling a buscar a Guillermo y ofrecerle la corona... La conducta de Guillermo fue al principio discreta; pero la insolencia de sus normandos... ¿Cómo te encuentras ahora, querida? —dijo el Ratón interrumpiéndose y volviendo la mirada a Alicia.

—Tan mojada como antes —respondió Alicia en tono melancólico—; este sistema me parece que no dará el menor resultado.

—Entonces —dijo el Pájaro Bobo solemnemente—, propongo que la reunión se aplace para la inmediata adopción de medidas más enérgicas...

—¡Habla en cristiano! —aseveró el Aguilucho—. No entiendo la mitad de esas palabras interminables tuyas, y, lo que es más, creo que tú mismo no sabes lo que dices.

Y el Aguilucho inclinó la cabeza para reírse disimuladamente, y los otros animales se sonrieron a las claras.

—Pues lo que yo iba a decir —prosiguió el Pájaro Bobo en tono de animal ofendido— es que lo mejor para secarse es hacer una Carrera de Conjurados.

—¿Qué es una Carrera de Conjurados? —preguntó Alicia, más que por verdadera curiosidad,

porque el Pájaro Bobo se había interrumpido, como esperando que alguien hablara; pero nadie parecía estar dispuesto a comentar sus palabras.

—En fin —dijo el Pájaro Bobo—, lo mejor para explicarlo es hacerlo.

(Y por si mis lectores quieren ponerlo en práctica en un día de invierno, voy a contarles cómo se las compuso el Pájaro Bobo.)

Ante todo trazó en el suelo una especie de circunferencia, que era la pista de la carrera (para él carecía de importancia la precisión de la línea); y luego todos los de la partida se fueron colocando en la línea de la pista, según les vino bien.

No se hizo aquello de: «a la una, a las dos..., a las tres», sino que fueron echando a correr conforme quisieron; así es que era difícil saber cuándo se acababa la carrera. Sin embargo, después de estar corriendo una media hora y sintiéndose ya secos, el Pájaro Bobo gritó:

—¡Ha terminado la prueba!

Y todos le rodearon jadeantes, preguntándole:

—¿Quién ha ganado?

No pudo contestar a tal pregunta sin pensarlo mucho, tanto, que estuvo un buen rato con el índice en la frente, lo mismo que se suele pintar el retrato de los sabios, al tiempo que los otros aguardaban silenciosos. Por fin el Pájaro Bobo sentenció:

—Ha ganado todo el mundo, y todos merecen un premio.

—¿Y quién nos dará los premios? —preguntó un coro de voces.

—Ella, naturalmente —repuso el Pájaro Bobo señalando a Alicia con un dedo.

Y toda la banda la rodeó en confusión, gritando:

—¡Vengan los premios! ¡Vengan los premios!

Alicia no sabía qué hacer, y, ya sin esperanzas, se metió la mano en el bolsillo. La sacó con una cajita de confites, en la que por suerte no había entrado el agua salada, y repartió los confites uno a uno.

Vinieron justos pero ella se quedó sin ninguno, por lo cual el Ratón exclamó:

—Ella también tiene que recibir un premio.

—Claro que sí —asintió el Pájaro Bobo, lleno de seriedad—. ¿Qué más tienes en el bolsillo? —añadió dirigiéndose a la niña.

—Sólo un dedal —respondió Alicia tristemente.

—Venga ese dedal —dijo el Pájaro Bobo.

Y otra vez la rodearon para presenciar cómo el Pájaro Bobo hacía la ceremonia de ofrecerle el dedal diciendo:

—Todos nosotros deseamos que usted nos honre dignándose aceptar este elegante dedal.

Y terminado este discursillo, todos los animales la aclamaron:

—¡Viva! ¡Viva!

Lo mismo que un pueblo que ha encontrado rey. En efecto, Alicia sentía la superioridad de la inteligencia, y los animalitos aguzaban su instinto, estimulado el entusiasmo solo por la mirada de la niña, donde brillaba la luz de la razón. Sin embargo, cada cual conservaba su carácter y su instinto, y, en pasando el alboroto de la ovación, todos volvieron a componer, ya sus plumas, ya su pelambre, para recobrar la compostura y la gravedad propia de un pueblo sumiso.

Alicia encontró que todo era muy absurdo, pero ellos estaban tan seriecitos, que no se atrevió a reírse; y, no ocurriéndosele nada, se limitó a coger el dedal con el aspecto más solemne que pudo.

A continuación se pusieron a comer los confites. Ello causó un poco de barullo y confusión, pues los pájaros grandes se quejaban de no poder saborear el confite, y los pequeños se ahogaban y tenían que deshacerlo en la boca de un modo al que no estaban acostumbrados. Con todo, por fin, terminó aquello, y entonces todos se sentaron formando rueda y pidieron al Ratón que les contara algo.

—¿Se acuerda usted de que me prometió contarme una historia? —dijo Alicia—. ¿Por qué les tiene ese odio a los P. y a los G.? —No se atrevió a pronunciar las palabras «perro» y «gato» por no irritarle otra vez.

—¡La mía es una historia larga y triste! —dijo el Ratón volviéndose a Alicia y suspirando—. La historia es una cola que se arrastra por la vida.

Dijo un perrazo
a un ratón que
andaba por
su mansión:
«Vamos a ver
al señor Juez,
que te juzgue
de una vez.
No hay excusa
que te valga:
La sentencia
que te salga
yo mismo la he
de ejecutar,
porque hoy
no tengo otra cosa
en qué pensar.»
Dijo el ratón
a su enemigo:
«Este juicio
sin testigo
y sin juez
no ha de daros
honra y prez,
y será, probablemente,
perder el tiempo
inútilmente.»
«Yo seré juez
y testigo,
dijo, ladrando
el enemigo.
Yo seguiré
todo el proceso,
porque mucho
me divierte
condenar ratones
a muerte.»

—En efecto, la de usted es muy larga —dijo Alicia, maravillada, mirando la cola del señor Ratón—. Pero ¿por qué dice que es triste?

Y estuvo dándole vueltas al enigma de la cola, mientras el Ratón iba narrando su historia de una manera que para ella tenía la forma que veis al lado.

—¡Pero no te enteras de lo que digo! —dijo el Ratón a Alicia, reprendiéndola—. ¿Dónde tienes la cabeza?

—Usted perdone —respondió Alicia modosamente—; creo que ha llegado usted a la quinta vuelta, si no he oído mal.

—¡No, señora! —repuso el Ratón con acritud y enfado.

—Un nudo —observó Alicia— puede siempre tener alguna utilidad. Déjeme que le ayude a deshacer ese nudo de su historia.

—De ninguna manera —objetó, levantándose y yéndose de allí, al tiempo que murmuraba—: Te estás burlando de mí diciendo tonterías.

—¡Lo he dicho sin querer! —exclamó la pobre Alicia—. ¡Pero usted se enoja con tanta facilidad!, ¿comprende?

Por toda contestación, el Ratón se limitó a seguir refunfuñando.

—¡Haga el favor de volver a reanudar su historia! —clamó Alicia en pos de él.

Y los otros animales se unieron a ella gritando:

—¡Sí, haz el favor de volver!

Pero el Ratón se limitó a mover la cabecita con impaciencia y apresuró la marcha.

—¡Qué lástima que no se haya querido quedar! —exclamó el Lorito en cuanto el Ratón hubo salido.

Y un Cangrejo aprovechó la ocasión para decir a su hermana:

—Fíjate bien, querida hermanita, y sírvate esta escena de ejemplo para no perder nunca los estribos como el Ratón.

—¡Calla y no te metas en lo que no te importa! —protestó la hermanita del Cangrejo con aspereza—. Eres capaz de acabar con la paciencia de una ostra.

—¡Ojalá estuviera *Dina* con nosotros! —exclamó Alicia como hablando para sí misma—. Estoy segura de que al punto nos lo traería.

—¿Y quién es *Dina*, si puede saberse? —preguntó el Lorito.

Alicia contestó enseguida, pues siempre estaba dispuesta a hablar de sus animales favoritos:

—*Dina* es nuestra gatita. ¡Y no tenéis idea de lo lista que es para atrapar ratones! ¡Ah, y cómo me gustaría que la vierais ahora persiguiendo pájaros! ¡Se zampa un pajarito en un santiamén!

Estas palabras causaron honda impresión en la concurrencia. Algunos de los pájaros que se hallaban presentes se apresuraron a levantar el vuelo. Una urraca que estaba entre ellos se acurrucó abrigándose bien entre las plumas, e hizo esta observación:

—¡Siento tener que irme a casa, pues se está levantando un relente que me ataca la garganta!

Un canario empezó a llamar así a sus pequeñuelos, con voz vibrante:

—¡Vamos pronto, hijitos; ya es hora de que estéis durmiendo en vuestra camita!

—¿Por qué habré hablado de *Dina*? —se dijo por lo bajo para sí misma—. ¡Por lo visto, nadie la quiere por aquí! Pero estoy segura de que es la gata que más vale del mundo. ¡*Dina* mía, *Dina* mía! ¿Te volveré a ver?

Y otra vez Alicia rompió a llorar, porque se encontraba muy sola y muy abatida. Sin embargo, al rato volvió a percibir un ruidito de pisadas a lo lejos, y empezó a mirar hacia el lado del ruido, con la esperanza de que el Ratón hubiese cambiado de propósito y volviera para terminar el relato de su historia.

El Conejo envía un mensajero

Capítulo 4

Era el Conejo Blanco que volvía a un trotecillo moderado, mirando a un lado y otro, como buscando algo; y ella oyó que murmuraba:

—¡Ah, la Duquesita, la Duquesita! ¡ Ay de mis pobres zarpitas sin guantes! ¡Ay de mi piel y de mis bigotes! ¡Seguro que me hace ejecutar! ¡Tan cierto como que un hurón es un hurón! ¿Y dónde he podido perder eso? Al punto comprendió Alicia que lo que buscaba era el par de guantes blancos y el abanico, y ella también, se puso a buscarlos, pero no se veían por ninguna parte... Todo parecía haberse transformado desde que cayó a la balsa de lágrimas, y la sala de las puertas y de la mesa de cristal había desaparecido por completo. Pronto advirtió el Conejo la presencia de Alicia, que no dejaba de buscar por todos lados, y así que la vio gritó muy enfadado:

—¡Cómo, María Ana! ¿Qué estás haciendo aquí fuera? Ve corriendo a casa y tráeme un par de guantes y un abanico. ¡Date prisa!

Tanto se asustó Alicia, que se fue corriendo en la dirección que él señalaba, sin ánimo de hacerle salir de la confusión que sufría.

—¡Me ha tomado por su criada! —se dijo al echar a correr—. ¡La sorpresa que va a tener cuando se entere de quién soy yo! Pero lo mejor será traerle el abanico y los guantes..., es decir, si los encuentro.

Así diciendo, llegó a una casita muy linda en cuya puerta había una placa de latón que tenía grabado el siguiente nombre: «W. CONEJO». Se introdujo en la casa sin llamar, y se apresuró a subir la escalera, llena de miedo por si tropezaba con la verdadera María Ana y era arrojada por esta de la casa, sin dejarle buscar los guantes y el abanico.

—¡Qué inverosímil es lo que pasa! ¡Estar haciendo recados para un conejo! Después de esto, también *Dina* puede enviarme a sus recados.

Y comenzó a fantasear qué era lo que podía suceder si a la gata le daba por imponerle órdenes: «Señorita Alicia, venga usted inmediatamente y arréglese para salir a dar un paseo». «¡Voy enseguida, chacha! Pero es que tengo que vigilar junto a este agujero de ratones, hasta que venga *Dina*, por si alguno se quisiera escapar.» Y Alicia continuó sus imaginaciones diciendo:

—Claro que como a *Dina* le diera por mandar de esta manera a la gente, no creo que la sufrieran en casa. En esto, Alicia había llegado a una habitación reducida en la que había una mesa junto a la ventana, y encima de la mesa (como ella esperaba) un abanico y dos o tres pares de diminutos guantes, y se disponía a salir del cuartito cuando reparó en un frasco que había junto al espejo del lavabo. Esta vez el frasco no iba provisto de un letrero que dijera: «Bébeme», pero, así y todo, lo destapó y se lo llevó a la boca.

—Estoy segura de que ha de pasar algo extraordinario —se dijo—, pues siempre que como o bebo algo sucede así. De manera que veremos cómo me sienta esta botella. Confío que volverá a hacerme crecer, porque, la verdad, empieza a fastidiarme el pensar que soy una cosa tan insignificante.

Y así fue, en efecto, y mucho más rápidamente de lo que ella misma supusiera: no bien había bebido medio frasco, ya le tocaba la cabeza al techo, y tuvo que dejar de beber para que no se le rompiera el cuello. Se apresuró a dejar la botella en el suelo diciéndose:

—¡Basta! Creo que no seguiré creciendo. Asimismo, ya me es imposible salir, porque no paso por la puerta... ¡Por qué habré bebido tanto de un tirón!

Pero era tarde, ¡ay!, para arrepentirse. Continuó creciendo, creciendo, y no tardó en tener que arrodillarse para caber en el cuarto; pronto dejó de tener sitio ni para estar arrodillada, y probó de echarse en el suelo con una rodilla contra la puerta y la cabeza apoyada en un brazo. Mas no paraba de crecer, y como último recurso sacó una mano por la ventana y metió un pie en la chimenea, al tiempo que exclamaba:

—¡Ya no puedo hacer nada! ¿Qué va a ser de mí?

Afortunadamente, la botellita mágica había producido su máximo efecto, y la niña dejó de crecer. Con todo, estaba muy incómoda, y como no veía posibilidad de salir nunca de la habitación, no es de extrañar que se sintiera muy desgraciada.

«Era mucho más agradable vivir en casa —pensó la pobre Alicia—. Porque allí, al menos, no me hacía gigante y enana a cada momento, ni tenía que cumplir encargos de ratones y conejos, como aquí. Así no se me hubiera ocurrido nunca meterme por la madriguera... Pero, con todo..., no, deja de ser curioso este género de vida. Yo misma no sé lo que ha podido pasarme. Cuando solía leer libros de hadas y fábulas, creía que tales cosas no podían ocurrir; y heme aquí ahora metida en una de ellas. Tendría que escribirse un libro acerca mí; sí, tendría que hacerse mi libro. Cuando sea mayor, yo misma lo escribiré; pero ¿no acabo de hacerme mayor? —se preguntó, llena de pesar—. Menos mal que ya no hay sitio para seguir creciendo.

»Pero, siendo así —siguió discurriendo Alicia—, no podré ser mayor nunca. Por una parte, será una ventaja no llegar nunca a vieja; pero, en cambio, ¡mira que tener que estar siempre estudiando lecciones! ¡Oh, no; no me gustaría!»

—¡Pero qué tonta eres, Alicia! —se dijo de pronto en voz alta—. ¿Cómo quieres estudiar aquí las lecciones si apenas tienes sitio para ti, y no podrías poner en ninguna parte los libros?

Y a este tenor continuó sopesando ventajas y desventajas, desarrollando una verdadera conversación sobre el asunto, hasta que al cabo de unos minutos oyó una voz que venía de fuera, y se interrumpió para escuchar.

—¡María Ana! ¡María Ana! —decía la voz—. Tráeme los guantes inmediatamente.

Luego se oyó un ruidito de pasos por la escalera. Alicia comprendió que era el Conejo que iba a buscarla y se echó a temblar, haciendo remover toda la casa, sin pensar que ahora era lo menos cien veces mayor que el Conejo y que no tenía por qué temer.

Enseguida el Conejo llegó a la puerta e intentó abrirla; pero como la puerta se abría hacia dentro y la rodilla de Alicia estaba allí haciendo presión, el intento del Conejo fracasó. Entonces Alicia le oyó decir:

—Lo que haré será dar la vuelta y saltar por la ventana.

«¡Ah, eso sí que no!», pensó Alicia. Y esperó hasta creer oír al Conejo al pie de la ventana; entonces abrió la mano y la movió como cuando se quiere asir algo. No cogió nada, pero oyó un débil chillido, el ruido de una caída y el de un cristal estrellado, de lo cual dedujo que el Conejo, al disponerse a saltar por la ventana, se había caído encima de un invernadero de pepinos que tendría la cubierta de cristales, o algo por el estilo.

Luego se oyó una voz de indignación, que era del Conejo:

—¡Topo! ¡Topo! ¿Dónde te has metido?

Y contestó una voz nueva:

—Pues estoy aquí, como puede ver usía, cavando para sacar manzanas.

—¡Muy bonito! ¡Buscando manzanas bajo tierra! —dijo el Conejo, muy irritado—. ¡Pronto, ven aquí a ayudarme a ver qué pasa!

No tardó en oírse una nueva rotura de cristales.

—Dime, Topo: ¿qué debe de ser eso que hay en la ventana?

—Es un brazo; no lo dude su señoría. —La voz aquella pronunciaba «Brrraso».

—¿Un brazo? ¡No seas ganso! ¿Cómo va a haber brazos de ese tamaño? ¡Si apenas cabe por la ventana!

—Así es, usía; pero no deja de ser un brazo de veras.

—Perfectamente, pero nada tiene que hacer ahí Anda, ve y sácalo.

A continuación hubo un largo silencio, y Alicia no percibió más que algunos murmullos de vez en cuando, tales como «La verdad es que no me gusta nada la cosa, usía, pero es que nada», «No seas cobarde y haz al punto lo que te mando». Y al llegar aquí, Alicia volvió a mover la mano al aire como para apoderarse de alguna cosa; esta vez se oyeron dos grititos y otra rotura de cristales.

«¡Cuántos invernaderos cubiertos de cristal debe de haber por ahí abajo! —pensó Alicia—. Y esa gente no sé lo que va a hacer ahora para sacarme de aquí. No creo que puedan hacerlo por la ventana. Y el caso es que ya no puedo soportar más esta encerrona.»

Estuvo un ratito escuchando, sin llegar a oír nada; por fin se oyó el rechinar de las ruedas de una carretilla y un vocerío de mucha gente que decía:

—¿Dónde está la otra escalera?

—¡Cómo!, yo sólo tenía que traer una; la otra la tiene Guillermín... ¡Eh, Guillermín! ¡Venga aquí esa escalera!

—Ponedlas ahí, junto a esa esquina... Pero, no; antes hay que atarlas una a continuación de la otra, y aun así no llegarán a media altura.

—Que sí, hombre. ¿No han de llegar? No seas absurdo.

—Aquí, Guillermín; agárrate bien a esta cuerda.

—¿Resistirá el alero este peso?

—¡Cuidado con esa teja suelta! ¡Eh, que se viene abajo! ¡Proteged las cabezas!

Aquí se produjo un fuerte estrépito.

—¿Quién ha sido el que ha hecho eso?

—Creo que ha sido Guillermín.

—Perfectamente. Ahora, pues, ¿quién va a bajar por la chimenea?

—¡No; yo, de ninguna manera!

—Guillermín lo tiene que hacer.

—¡Pronto, muchacho! El amo dice que tienes que ser tú el que baje por la chimenea.

«¡Oh, entonces el que va a meterse por la chimenea es Guillermín! —pensó Alicia*—. ¡Parece que todo se lo cargan a él! No quisiera estar en el pellejo de Guillermín en esta ocasión, pues aunque esta chimenea es en verdad estrecha, creo que puedo dar un puntapié por ella.»

Estiró el pie cuanto pudo hasta la chimenea y aguardó hasta oír que un animalito, que no sabía de qué clase sería, empezaba a arañar y a esforzarse por abrirse paso, chimenea abajo, cerca ya de ella.

«¡Aquí está Guillermín!», se dijo, y dio un puntapié. Luego esperó los resultados.

Lo primero que oyó fue un coro general que decía:

* El autor hace un juego de palabras intraducible, pues el diminutivo de Guillermo, Bill, en inglés quiere decir también billete o mensaje. Semejantes juegos de ingenio abundan en la obra. Se ha procurado buscarles una interpretación similar. (*N. del T.*)

—¡Por ahí va Guillermín!

Luego la voz sola del Conejo, que ordenaba:

—¡Dadle caza por la barda!

Y después de otro breve silencio se reanudó el vocerío confuso:

—Sostenle la cabeza... ¿Qué hace ese aguardiente?

—No lo sacudáis. Así, muy bien: ¿cómo ha sido eso, amigo?

—¿Qué te ha pasado, Guillermín? Cuéntanoslo todo.

Oyose luego una vocecita chillona, y Alicia comprendió que decía:

—Yo mismo no sé lo que ha pasado... Pero ya me encuentro un poco mejor. Con todo, estoy muy agitado para poderos decir... En verdad, lo único que sé es que me vi como uno de esos muñecos que saltan con resorte, y, ¡zas!, ¡salí disparado como un cohete!

—Ya lo hemos visto, amigo —dijeron los demás.

—No hay más remedio que prender fuego a la casa —dijo el Conejo.

Entonces Alicia dijo, gritando cuanto pudo:

—Como lo hagáis, yo os echaré a *Dina* para que os persiga.

Se hizo en el acto un silencio de muerte, y Alicia pensó: «Ahora sí que no sé qué es lo que podrán hacer. Si tuvieran sentido común levantarían el tejado».

Al cabo de un momento se reanudó la agitación fuera y Alicia oyó decir al Conejo:

—Para empezar, basta con una carretada.

«¿Una carretada de qué?», se preguntó Alicia. Mas pronto salió de dudas, pues enseguida cayó resonando sobre la ventana una lluvia de guijas, algunas de las cuales le dieron en la cara. «Tengo que poner remedio a esto», se dijo, y gritó:

—¡Guardaos de echarme más piedras!

A lo cual siguió otro silencio mortal.

Alicia observó con gran sorpresa que las pedrezuelas se convertían en galletas, y al punto tuvo una idea.

—Comiendo alguna de estas galletas —se dijo— es seguro que cambiaré algo de tamaño; y como no es posible hacerme crecer más aquí dentro, creo que me volveré más pequeña.

Y acto seguido se comió una galleta, con la satisfacción de ver que al punto disminuía de estatura. En cuanto se vio lo bastante reducida para pasar por la puerta, echó a correr, y se encontró con que fuera había una muchedumbre de animalitos de la tierra y del aire, llenos de expectación. La pobre lagartija que se llamaba Guillermo estaba en medio, sostenida por dos conejillos de Indias que le daban de beber de una botella. Todos se abalanzaron sobre Alicia así que la vieron salir de la casa; pero ella se dio prisa en huir, y pronto se encontró a salvo en un espeso bosque.

—Lo primero por lo que ahora tengo que preocuparme —se dijo Alicia mientras vagaba por el bosque—es recuperar mi estatura normal, y lo segundo, buscar la manera de entrar en aquel hermoso jardín. Creo que no hay plan mejor.

Parecía, por de pronto, un excelente proyecto, sin duda alguna, y además estaba expuesto de una manera muy clara y sencilla; lo malo era que no tenía la menor idea de cómo empezar a realizarlo, y andaba mirando a todas partes por entre los árboles, cuando oyó a su espalda, casi encima de su cabeza, un pequeño y agudo ladrido que le hizo alzar los ojos prestamente.

Un enorme perro faldero la miraba con sus grandes ojos y levantaba una pata para tocar a la niña.

—¡Pobrecito, qué lindo es! —dijo Alicia en tono halagador.

Y probó a silbar, casi sin poder; pero, a todo esto, tenía un gran miedo, pues pensaba que también podía ser que el perrito tuviera hambre, y en tal caso sería muy fácil que la devorara, a pesar de todos los mimos.

Sin darse apenas cuenta de lo que hacía, cogió una ramita seca del suelo y la tendió hacia el perro; este enseguida dio un brinco sobre las cuatro patas a la vez y un ladrido de susto, y se arrojó sobre la rama como si le fastidiase; entonces ella le burló escondiéndose detrás de una mata de cardo, porque temía que la arrollara; y en el momento en

que lograba resguardarse al otro lado de la mata, el perro había vuelto a acometer al palo, dando una voltereta por la fuerza con que se había lanzado a cogerlo. Y Alicia, viendo que aquello parecía jugar con un caballo de tiro y temiendo ser aplastada de un momento a otro, se escondió otra vez al lado del cardo; mientras, el perrito continuaba atacando a la rama, sin llegar a cogerla entre los dientes; cada vez avanzaba un poco más en su carrerilla, y cada vez la tomaba de más lejos, y así estuvo un buen rato resollando, con la lengua fuera y los ojos entornados.

Pareciéndole a Alicia una excelente ocasión para escapar, se dio a correr, a correr hasta sentirse rendida y sin aliento, mientras los ladridos del perro apenas se oían sino perdidos en la distancia.

—¡Pero, a pesar de todo, qué perrito más guapo! —exclamó Alicia, y se apoyó en un amargón para descansar, abanicándose con una de sus hojas—. ¡Cuánto me habría gustado enseñarle juegos, si tuviera..., si tuviera yo ahora estatura suficiente para ello! ¡Anda, y es verdad; casi se me había olvidado que tengo que volver a crecer! He de pensar en cómo voy a componérmelas. Sospecho que me convendría beber una cosa u otra; pero ésta es la dificultad: ¿qué puedo beber o comer?

Tal era, en efecto, el gran enigma: qué iba a ser. Alicia dio una ojeada en torno de ella a las plantas y las flores; pero nada encontraba a propósito para ser comido ni bebido en tales circunstancias. Se dio cuenta de que estaba al lado de una gran seta, aproximadamente de su misma talla. Y así que hubo mirado debajo, a los lados y detrás de la seta, se le ocurrió que también debía mirar encima, por si allí había algo.

Se puso de puntillas para atisbar por el borde de la seta, y sus ojos se encontraron con los de un Gusano de Seda que estaba sentado en lo alto, cruzado de brazos, fumando tranquilamente en una pipa oriental, sin darse por enterado de la presencia de Alicia y absolutamente indiferente a todo.

El consejo del Gusano de Seda

Capítulo 5

Luego Alicia y el Gusano de Seda se estuvieron mirando un rato sin decirse nada. Por fin, el Gusano de Seda se quitó de los labios el extremo de la pipa y se dirigió a Alicia con voz lánguida y adormecida:

—¿Quién eres?

Era un comienzo de diálogo poco tranquilizador. Alicia le contestó, vergonzosilla:

—Yo... yo misma no sé quién debo de ser en estos momentos, señor. Puede que sepa quién era esta mañana al levantarme, pero creo que he cambiado una porción de veces durante el día.

—¿Qué quieres decir? —repuso el Gusano de Seda severamente—. Explícate mejor.

—Creo, señor, que no hay manera de explicármelo siquiera a mí, porque ¿no ve usted que yo no soy yo misma?

—No lo veo —objetó el Gusano de Seda.

—No sé si sabré decirlo más claro —contestó Alicia procurando hacerlo con voz amable—, porque no entiendo lo que me pasa para ni siquiera empezar a contarlo. Es que eso de cambiar de estatura tantas veces al día es desconcertante.

—No lo es —dijo el Gusano de Seda.

—Bien, será que usted no lo ha pasado todavía —repuso Alicia—, pero cuando se convierta usted en crisálida, cosa que será un día u otro, para hacerse luego mariposa, me parece que le dará una sensación un poco extraña, ¿sabe usted?

—No me extrañará ni pizca —dijo el Gusano de Seda.

—Bueno, será que usted siente de otra manera —dijo Alicia—. Lo que yo le digo es que a mí se me haría rarísimo.

—¿A ti? —preguntó el Gusano de Seda con menosprecio—. Pero ¿quién eres tú?

Esta pregunta les llevó de nuevo al principio de la conversación. Alicia se sentía un poco molesta por los bruscos reparos del Gusano de Seda, por lo cual, irguiéndose muy seria, le dijo:

—Creo que debiera usted empezar por decirme quién es usted.

—¿Y por qué? —observó el Gusano de Seda.

Esta era otra pregunta desconcertante, y como quiera que Alicia no acertara a responder y el Gusano de Seda no saliese de su actitud antipática, la

niña dio media vuelta para irse. Pero entonces el Gusano de Seda la llamó así:

—¡Vuelve acá! Tengo que decirte una cosa muy importante.

Estas palabras eran en verdad una promesa: Alicia se acercó otra vez.

—Un consejo —le dijo el Gusano de Seda—: procura no irritarte nunca.

—¿Es cuanto tiene que decirme? —repuso, despechada, Alicia, dominando su enojo.

—No —agregó el Gusano de Seda.

Alicia pensó que lo mejor sería armarse de paciencia, puesto que no tenía otra cosa que hacer, y así tal vez le oiría algo razonable al fin y al cabo. El Gusano de Seda empezó a echar con empaque unas cuantas bocanadas de humo, y luego, quitándose otra vez de la boca el extremo de la pipa, dijo:

—Conque te parece que estás cambiada en otra, ¿no es eso?

—Ese es mi temor, caballero —dijo Alicia—, pues no recuerdo las cosas como antes... y no conservo la misma estatura diez minutos seguidos.

—¿Qué cosas son las que no recuerdas?

—Pues he intentado recordar la fábula de «¡Cómo se afana la abejita...!»; ¡pero me ha salido no sé qué de un cocodrilo! —repuso Alicia con voz llena de melancolía.

A lo que el Gusano de Seda ordenó:

—A ver, repite aquello de «Eres viejo, padre Guillermo...».

Alicia se cruzó de brazos y dijo así:

—Eres viejo, padre Guillermo,
y tu cabeza es toda nieve
—dijo el mozo—, mas todavía
quieres tener la razón siempre.

—Cuando era joven —dijo el padre—,
temí que el tiempo entonteciese,
mas la experiencia no halló el seso
y me mantengo así en mis trece.

—Eres viejo —repite el hijo—
y tu gordura es imponente:
¿cómo es que das saltos mortales
como si fueras un mozalbete?

—Cuando era joven —respondiole—
me hacía los músculos fuertes
este unto a peseta la caja:
si me compras un par, se venden.

—Eres viejo —vuelve a decirle—,
y tus mandíbulas son débiles:
¿cómo, pues, devoras un pato
sin que dejen hueso tus dientes?

—Cuando era joven discutía
con mi mujer constantemente,
y así la boca se me hizo
para toda la vida fuerte.

—Eres viejo —el mozo insistió—,
mas la vista no se te pierde,
que aún nos harías equilibrios
llevando una anguila en la frente.

—A tres preguntas contesté
—replica el padre, ya impaciente—.
¿Me darás la tabarra diez años?
No te doy con el pie, ¡pero vete!

—No es así —dijo el Gusano de Seda.

—Creo que no —le contestó Alicia con timidez—; se me han cambiado algunas palabras.

—¡Ca! Lo has dicho mal de cabo a rabo —sentenció el Gusano de Seda.

Y siguieron unos minutos de silencio.

El Gusano de Seda fue el que reanudó la palabra.

—¿De qué tamaño quieres ser? —le preguntó.

—¡Oh, me da lo mismo! —se apresuró a contestar Alicia—. Lo que me desagrada es esto de cambiar cada dos por tres, ¿sabe usted?

—Yo no lo sé —volvió a decir el Gusano de Seda.

Alicia no replicó; en su vida la habían contradicho de tal manera; así es que sentía perder por momentos la calma.

—¿Estás contenta con tu estatura de ahora? —le preguntó el Gusano de Seda.

—Sí, pero preferiría ser un poquitín más alta, señor, si a usted le diera lo mismo —dijo Alicia—. Eso de no medir más que siete centímetros es una cosa tan insignificante...

—Al contrario, es verdaderamente una buena talla —dijo el Gusano de Seda, enfadado, estirándose cuanto pudo. (Él medía exactamente siete centímetros.)

—¡Pero yo no estoy acostumbrada! —exclamó la pobre Alicia como pidiendo compasión. Y se dijo para sí: «¿Por qué se molestará esta criatura tan fácilmente?».

—No tardarás en acostumbrarte —replicó el Gusano de Seda llevándose de nuevo la pipa a la boca, para fumar con fruición.

Y Alicia optó por esperar, sin decir palabra, que él volviera a hablar.

No tardó más de dos minutos el Gusano de Seda en volverse a sacar la pipa de la boca. Dio un par de bostezos y se sacudió todo él. Luego bajó de la seta y se fue arrastrando por la hierba al mismo tiempo que decía:

—Un lado te hará crecer; el otro, disminuir.

Y Alicia pensó: «¿Un lado de qué? ¿Y el otro lado de qué?».

—De la seta —respondió el Gusano de Seda, como si ella se lo hubiera preguntado en voz alta.

Y al cabo de un momento se perdió de vista.

Alicia se quedó un rato pensativa, contemplando la seta, en un esfuerzo por descubrir cuáles eran sus lados; pero como era redonda, se le hacía muy difícil determinarlo. Y extendió cuanto pudo los brazos abarcándola, y arrancó con cada mano un pedacito del borde de la seta.

—¿Cuál es cuál? —se preguntó.

Y mordió un pedacito del fragmento que tenía en la mano derecha, para ver qué efecto le producía. Sintió en el acto un rudo golpe en la barbilla: ¡le había tropezado el mentón con los pies!

Grande susto fue el suyo al sufrir tan brusco cambio, pero comprendo que no tenía tiempo que perder, según se iba encogiendo, y se apresuró a poner remedio dando un mordisquillo al otro pedacito de seta. Tanto le había juntado la barbilla a los pies, que apenas podía abrir la boca; mas por fin lo consiguió y pudo tragar un fragmento del pedazo que tenía en la mano izquierda.

* * * * * * * * * * *

—¡Qué bien; ya puedo mover a gusto la cabeza! —exclamó Alicia en un tono de regocijo que presto se convirtió en alarma, pues se encontró con que había dejado de poderse ver los hombros, como si los hubiera perdido.

Al mirar al suelo no vio otra cosa sino un larguísimo pedazo de cuello que como un tallo se levantaba de un dilatado mar de verde follaje.

—¿Qué debe ser toda esa cosa verde? —preguntó Alicia—.¿Y dónde se me han ido los hombros? Y vosotras, pobres manos mías, ¿cómo es que no os veo?

Las movió al hacerse esta pregunta, pero nada vio, aunque sí notó que se agitaban las verdes hojas distantes. Convencida de que no le era posible llevarse las manos a la cabeza, pensó bajarla hasta las manos, y vio, encantada, que podía doblar fácilmente el cuello en todas direcciones, como una serpiente. Había conseguido doblarlo por completo en una graciosa curva, y se disponía a sumergir la cabeza en el oleaje de verdor—que resultó ser la extensión de los árboles bajo los cuales había estado vagando—, cuando oyó un silbido agudo que la obligó a erguirse de nuevo con presteza. Una gran Paloma se le había lanzado a la cara y le daba recios aletazos.

—¡Qué serpiente! —dijo chillando la Paloma.

—No soy una serpiente —protestó Alicia, indignada—. ¡Déjeme usted en paz!

—Sí; eres una serpiente —insistió la Paloma, aunque bajando un poco el tono, para añadir enseguida, en una especie de suspiro—: ¡Todo lo he intentado, y no consigo ponerlos a salvo!

—No tengo la menor idea de lo que quiere decir.

—He probado ponerlos entre raíces de árboles, en los bancales, en las márgenes —prosiguió la Paloma, sin hacer caso a lo que le decía—, pero, ¡ah, estas malditas serpientes! ¡No hay manera de esquivarlas!

El asombro de Alicia subía de punto, pero la niña creyó que no debía decir nada hasta que la Paloma pusiera término a sus exclamaciones.

—Por si no diera bastante quehacer el empollar —proseguía la Paloma—, hay que estar día y noche vigilando que no vengan las serpientes por los huevos. ¡Tres semanas llevo sin pegar el ojo!

—Siento mucho que la molesten a usted de esa manera —dijo Alicia, que ya empezaba a comprender.

—Y precisamente cuando me había acomodado en el árbol más alto del bosque —agregó la Paloma levantando la voz en un chillido—, y precisamente cuando me creía libre por fin de sus ataques, ¡resulta que también bajan retorciéndose por el aire! ¡Uf, quita de ahí, serpiente!

—¡Pero si le digo que yo no soy una serpiente! Yo soy...

—¿Qué eres tú, si no? —le preguntó la Paloma—. Bien se ve que estás pensando cómo engañarme.

—Yo... yo soy una niña —dijo Alicia, poco segura de sí misma, pues no podía olvidar que durante el día había sufrido una porción de transformaciones.

—¡Linda invención, a fe mía! —dijo la Paloma en tono del más profundo desprecio—. ¡Pues no he visto yo pocas niñas!; pero ninguna tenía ese pedazo dc cuello. ¡Ca! Lo que tú eres es una serpiente; no te sirve negarlo. Supongo que luego dirás que en tu vida has probado un huevo.

—Sí, he comido huevos —dijo Alicia, que era una criatura que no sabía mentir—; pero es que las niñas comen huevos, lo mismo que las serpientes.

—No lo creo —dijo la Paloma—. Y si lo hacen, no te digo más sino que son una especie de serpientes.

Fueron tan inesperadas estas palabras, que Alicia se quedó un rato sin acertar a decir nada.

—Bien veo que lo que estás haciendo es buscar huevos —añadió la Paloma—; ¿y qué me importa a mí, pues, que seas niña o serpiente?

—Pero a mí me importa mucho —se apresuró a decir Alicia—. Conste que, aunque lo parezca, no ando a la busca de huevos, y que, aunque así fuera, no cogería nunca los de su nido, porque estarán crudos, y así no me gustan.

—No importa; ¡vete de una vez! —dijo por fin la Paloma gruñonamente, al tiempo que se volvía a colocar en su nido.

Alicia se agachó con gran trabajo de ir de vez en cuando desenroscando de las ramas de los árboles el cuello, pues le obstruían el paso. Al cabo de un rato cayó en la cuenta de que todavía tenía los pedacitos de seta en las manos, y enseguida se pudo a mordisquearlos alternativamente con gran cuidado de tragar poco; y tan pronto se hacía pequeña como crecía, hasta que consiguió encontrar su estatura normal y quedarse en ella.

Como hacía tanto tiempo que había dejado de ser, hasta entonces, aproximadamente como siempre, le parecía un poco extraño al principio. Pero no le costó mucho acostumbrarse, y reanudó sus habituales monólogos:

—¡Mira qué bien! Mi plan está medio logrado. ¡Y qué desconcertantes son estos cambios! Nunca estoy segura de lo que voy a ser al momento siguiente. El caso es que ahora he recobrado mi verdadera estatura y lo que importa es encontrar aquel jardín tan hermoso. ¿Cómo me las arreglaré?... Esto es otro cantar.

Así se iba diciendo cuando llegó a un lugar despejado donde había una casita que mediría poco más de un metro de altura.

«Quienquiera que sea el que viva allí —pensó Alicia—, no es cosa de presentarme en una casa tan pequeña con mi estatura normal. ¡Cómo se asustarían! ¡Perderían el juicio!»

Considerándolo así, Alicia empezó a morder un poquito el pedazo de seta que conservaba en la mano derecha, y no se atrevió a acercarse a la casita hasta verse achicada a una talla de unos veinte centímetros.

Cerdo y pimienta

Capítulo 6

Por uno o dos minutos, Alicia se quedó contemplando la casa y pensando qué partido tomar, cuando al pronto salió corriendo del bosque un criado con uniforme; al menos a ella se le antojó un criado porque llevaba librea. Por otra parte, a juzgar solo por su cara se diría que se trataba de un pez. Se acercó el hombrecillo a la puerta y golpeó con los nudillos, abriendo otro criado de librea, que tenía la cara redonda y unos ojos grandes de rana. Alicia observó que los dos criados llevaban el cabello ensortijado y empolvado. Se le despertó tal curiosidad de saber lo que pasaba, que salió del bosque cautelosamente, y se acercó un poco para escuchar.

El criado de cara de pez empezó por sacarse de debajo del brazo una carta casi tan grande como él, y se la entregó al otro diciendo en tono solemne:

—Para la Señora Duquesa. Invitación de la Reina a una partida de cróquet.

El criado de cara de rana repitió con la misma solemnidad las palabras, pero alterándolas un poco, en esta forma:

—De la Reina. Invitación a la Señora Duquesa para una partida de cróquet.

Luego ambos se hicieron una profunda reverencia, y los bucles de la peluca se les entremezclaron.

Tanta risa le dieron a Alicia estas ceremonias, que se metió otra vez en el bosque temiendo ser oída; y cuando volvió a asomarse entre los árboles, el criado de cara de pez se había ido, en tanto que el otro estaba sentado junto a la puerta, contemplando el cielo estúpidamente.

Alicia se llegó, no sin cierta timidez, a la puerta, y llamó.

—No sacará usted nada con llamar —le dijo el criado—, pues hay dos razones para ello: la primera, que yo también estoy a este lado de la puerta; la segunda, que con el ruido que están haciendo dentro es imposible que la oigan.

En efecto, se notaba que hacían un ruido extraordinario: un continuo berrear y estornudar, y de vez en cuando el estrépito de un golpe como de

una fuente de porcelana o de una tetera al romperse contra el suelo.

—Entonces —dijo Alicia—, ¿tiene la bondad de decirme cómo voy a entrar?

—Aun cuando la puerta nos separa —siguió el criado, sin parar mientes en lo que ella decía—, sería preciso que su llamada tuviese razón de ser. Por ejemplo, si usted se hallase dentro, podría llamar, y yo abriría para que se fuera.

No dejaba de mirar al cielo mientras hablaba, cosa que Alicia encontró muy incorrecta. Aunque se dijo luego:

—Acaso no lo pueda evitar, pues ¡tiene los ojos tan altos en la cabeza! Con todo, podría contestar a lo que se le pregunta. —Y volvió a decir, alzando la voz—: ¿Cómo he de hacerlo para entrar?

—Yo he de estar aquí —dijo el criado— hasta mañana, o...

En ese momento se abrió la puerta rápidamente y salió un plato planeando directamente a la cabeza del criado; le rozó la nariz y fue a estrellarse contra el tronco de un árbol que había detrás. Pero el criado prosiguió en su tono imperturbable, como si nada hubiera ocurrido:

—... hasta mañana, o pasado.

—¿Cómo se entra en esta casa? —volvió a preguntar Alicia, alzando bastante la voz.

—¿Qué necesidad tiene usted de entrar? —observó el criado—. Eso es lo primero que hay que saber.

Era cierto, pero a Alicia no le gustaba semejante pregunta, y murmuró para sí:

—La verdad es que resulta terrible la manera de argüir que tienen todas las criaturas. ¡Es para desesperarse!

Y al criado le pareció que el momento se prestaba para insistir en su observación, en forma parecida:

—Voy a estar aquí fuera sentado días y días.

—Pero ¿qué voy yo a hacer? —dijo Alicia.

—Lo que quiera —le respondió el criado, y se puso a silbar.

—¡Oh, no conduce a nada hablar con él! —se dijo Alicia, desesperada—. Es un tonto acabado. —Y, abriendo ella misma la puerta, penetró en la casa.

La puerta daba inmediatamente a una gran cocina que estaba llena de humo: en medio se hallaba la Duquesa, sentada en un escabel de tres patas, con un niñito de pecho en la falda; la Cocinera, junto al hornillo, revolvía algo que debían de ser las sopas que se hacían en una olla.

—De seguro que esas sopas tienen demasiada pimienta —se dijo Alicia, al tiempo en que estornudaba.

En efecto, hasta en el aire había demasiada pimienta. La misma Duquesa no podía dejar de estornudar de vez en cuando, y el niñito estornudaba y lloraba sin punto de reposo. Los únicos seres que en aquella cocina no estornudaban eran la Cocinera y un enorme gato que estaba sentado junto al fogón, con una mueca de risa que le llegaba de oreja a oreja.

—¿Tendría usted la bondad de decirme —preguntó Alicia, temerosa de ser indiscreta hablando sin ser preguntada— por qué su gato se ríe de esa manera?

—Es que es un gato de Cheshire —le dijo la Duquesa—. ¡Eh, cerdo!

Pronunció esta última palabra con tal violencia, que Alicia por poco da un salto; pero esta se dio cuenta enseguida de que lo había dicho por el niño y no por ella; así es que se animó y volvió a decir:

—No sabía que los gatos de Cheshire se reían. Ni siquiera sabía que hubiera gatos que se rieran.

—Todos pueden hacerlo, y muchos lo hacen, en efecto.

—Yo no había visto ninguno —confesó Alicia muy amablemente, contenta de haber iniciado una conversación.

—Es que tú no tienes experiencia —le dijo la Duquesa—, cosa que no es de extrañar.

No acabó de gustarle a Alicia el tono de esta observación, y pensó que sería oportuno cambiar de tema. Ya estaba a punto de encontrar otro, cuando la Cocinera retiró la olla de la lumbre y empezó a arrojar a la Duquesa y al niño todos los cacharros y objetos que encontraba al alcance de la mano: primero los hurgones de la lumbre, luego un diluvio de fuentes, sartenes y platos. La Duquesa no hacía caso, aun cuando le daban a ella, y el niño hacía rato que berreaba tanto, que no podía decirse si ahora era por los golpes.

—¡Oh, por Dios, haga el favor de ver lo que hace! —imploró Alicia saltando de un lado a otro para esquivar los proyectiles, llena de miedo y angustia—. ¡Ay, que le arranca su preciosa nariz! —exclamó viendo que una sartén de extraordinarias dimensiones se la rozaba a la Duquesa y por poco se la lleva.

—Si nadie se metiera donde no le llaman —dijo la Cocinera gruñendo—, el mundo iría un poco más deprisa.

—Con lo cual no saldríamos ganando nada —observó Alicia, contentísima de tener ocasión de demostrar que no era tan ignorante—. ¡Calcule lo que rodaría día y noche! Porque ya sabe usted que la Tierra tarda veinticuatro horas en girar sobre su eje...

—¡Pues no habla de cálculos! —exclamó la Duquesa. —¡Córtele la cabeza!

Alicia miró a la Cocinera llena de ansiedad, por ver si aprovechaba la indicación; pero como la viera muy afanada en revolver las sopas, sin enterarse de nada al parecer, se animó a proseguir:

—La Tierra tarda, digo, veinticuatro horas, creo..., ¿veinticuatro, o doce? Yo...

—Tú me vas a dejar en paz, porque ya me estás fastidiando —repuso la Duquesa interrumpiéndola—. Nunca he servido para contar.

Y con esto siguió cuidando al niñito, entonándole una especie de arrullo y dándole una brusca sacudida al final de cada línea:

Hay que zurrar al pequeño
cuando empieza a berrear,
en vez de coger el sueño,
tan sólo por fastidiar.

CORO (con intervención de la Cocinera y el rorro):
¡Ua! ¡Ua! ¡Ua!

Al cantar el segundo verso, la Duquesa agitaba a un lado y otro al niño de tan violenta manera, que le hacía dar aullidos, por lo cual Alicia no oyó bien las palabras de la siguiente estrofa de la canción:

Al niño que estornudando
se divierte y se contenta,
se le dan de vez en cuando
azotes con la pimienta.

CORO:
¡Ua! ¡Ua! ¡Ua!

—Ven aquí, ahora puedes pasear tú al niño, si quieres —dijo la Duquesa traspasando la criatura a Alicia—. Yo tengo que ir a arreglarme para jugar al cróquet con la Reina.

Y se fue precipitadamente. La Cocinera le arrojó una sartén en el momento de salir, pero no la alcanzó.

Alicia cogió al niño lo mejor que pudo, pues se trataba de una criatura que tenía una forma extrañísima y que sacaba por todas partes los brazos y las piernas, lo mismo que una «estrella de mar», según le parecía a ella. La pobre criaturita resollaba como una máquina de vapor cuando ella la cogió, y se encogía y se estiraba de tal manera que al principio mucho fue que la pudiera sostener.

En cuanto encontró manera de acomodar al niñito en sus brazos (cosa que hizo trenzándolo en una especie de nudo, con el pie izquierdo atado a la oreja derecha a fin de que no se desdoblara), Alicia se salió con él al aire libre diciéndose:

—Si no me llevo a este niño, seguro que lo matan en un par de días con esos tratos. ¿No sería un crimen dejarlo?

Las últimas palabras las dijo en voz alta, y la criaturita lanzó un gruñido por toda contestación, cesando de estornudar.

—No gruñas —le dijo Alicia—, que no es esa manera de expresarte.

El rorro volvió a gruñir, y Alicia, llena de ansiedad, le miró la cara para ver lo que le ocurría. No había duda de que tenía la naricilla muy remangada, mucho más parecida a un hocico que a una nariz normal; además se le ponían los ojos exageradamente pequeños para ser un bebé, de manera que a Alicia le hizo muy poca gracia el aspecto que ofrecía.

«Eso puede ser que esté sollozando», se dijo Alicia para tranquilizarse, y le miró los ojos por si tenía lágrimas. ¡Pero nada de lágrimas! Así es que Alicia dijo:

—Como te me vuelvas un lechón, queridito, voy a tener que abandonarte. Tú verás lo que haces.

La criaturilla volvió a sollozar, o a gruñir (era imposible discernirlo), y continuaron un rato en silencio.

—Ahora bien, ¿qué voy a hacer con esta criatura en llegando a casa?

No bien había comenzado a formularse esta pregunta, la criatura dio otro gruñido, tan recio que Alicia volvió a ella los ojos, bastante alarmada. Ahora no cabía la menor duda: aquello no era ni más ni menos que un cerdito, y comprendió que sería absurdo seguir llevándolo en brazos.

De manera que hubo de dejarlo en el suelo, y se sintió quitarse un peso de encima al verle andar solo por el bosque.

—Si llega a crecer así, ¡qué criatura más horrible hubiera sido! Pero ahora me parece que resulta un cerdito muy mono. —Y empezó a recordar otros niños de pecho que estarían muy bien como cerditos, y dijo—: Si se les supiera transformar así...

Pero se interrumpió súbitamente, porque acababa de ver cerca, en la rama de un árbol, al Gato de Cheshire.

El Gato no hizo más que sonreír al ver a Alicia. Esta pensó: «Debe de tener buen humor». Con todo, era conveniente tratarlo con respeto, pues tenía agudos dientes y largas uñas.

—¡Minino de Cheshire! —empezó a decirle tímidamente, pues no estaba segura de si le gustaría tal nombre.

Pero el Gato se sonrió un poco más. Y Alicia pensó acercándose más a él: «Ánimo, pues parece que no le disgusta». Y le volvió a preguntar:

—¿Qué camino debo seguir?

—Según adonde quieras llegar —observó el Gato.

—Me es absolutamente igual un sitio que otro... —dijo Alicia.

—Entonces también da lo mismo un camino que otro —añadió el Gato.

—Es que con tal de llegar a alguna parte... —agregó Alicia a manera de explicación.

—Para eso —le aseguró el Gato— basta con que empieces a andar y andar.

Alicia comprendió que aquello no admitía réplica, e intentó hacer otra pregunta:

—¿Qué clase de gente vive por estos lugares?

—Por allí —dijo el Gato levantando la pata derecha—vive un Sombrerero; y en esa otra dirección vive una Liebre Marceña. Puedes visitarlos a los dos. Uno y otra están locos.

—Pero es que yo no quiero alternar con gente loca —repuso Alicia.

—¡Ah!, eso no lo puedes tú evitar —dijo el Gato—. Aquí todos estamos locos. Yo soy loco. Tú eres loca.

—¿En qué conoce usted que yo estoy loca? —le preguntó Alicia.

Como no esperaba que se lo demostrara, siguió preguntándole:

—¿Y en qué se conoce que usted también está loco?

—Para comenzar, dime: ¿verdad que un perro no es loco? ¿Lo concedes?

—Así lo creo —contestó Alicia.

—Perfectamente; esto concedido —prosiguió el Gato—, convengamos en que un perro cuando se le molesta gruñe y cuando está contento mueve el rabo... Pues bien: yo gruño cuando estoy contento y me río cuando me enojan. Por consiguiente, tengo que estar loco.

—Es que yo le llamo ronronear o roncar, y no gruñir, a lo que usted hace.

—Llámale como quieras —terminó el Gato—. ¿Vas a jugar hoy al cróquet con la Reina?

—Mucho me gustaría —dijo Alicia—, pero no me han invitado todavía.

—Pues allí me encontrarás —le indicó el Gato, y desapareció.

No se sorprendió mucho Alicia, porque estaba ya muy acostumbrada a las cosas extrañas que le venían sucediendo. Todavía tenía la niña puestos sus ojos en la rama donde había estado el Gato, cuando este reapareció de súbito, preguntándole:

—Por cierto, ¿qué se ha hecho del pequeño? Se me olvidaba preguntar por él.

—Se ha convertido en un cerdo —repuso Alicia tranquilamente, como si la nueva aparición del gato fuera cosa muy natural.

—¡Me lo temía! —dijo el Gato; y desapareció de nuevo.

Alicia se quedó un rato parada, como esperando volverle a ver, pero no fue así, y, pasados un par de minutos, emprendió el camino en dirección de donde vivía la Liebre Marceña.

—Sombrereros he conocido varios —se dijo—; la Liebre Marceña será muy interesante, y es posible que, siendo ella del mes de marzo, como estamos en mayo, no se halle en el delirio de su locura... Por lo menos, no estará tan loca como en su mes especial.

Así monologaba, cuando alzó los ojos y volvió a ver al Gato sentado en la rama de un árbol.

—¿Has dicho cerdito o cardito? —le preguntó el Gato chanceándose.

—He dicho cerdo —repuso Alicia—, y no quisiera volver a verle a usted aparecer y desaparecer de esa manera tan imprevista, que le hace rodar a uno la cabeza.

—Perfectamente —dijo el Gato; y se fue esfumando poco a poco, comenzando por la cola y terminando por la sonrisa; esta permaneció largo rato allí cuando ya todo él se había desvanecido.

—¡Qué extraño! ¡Nunca había visto que los gatos se sonrieran; pero una sonrisa sola, sin gato, es una cosa más rara todavía!

No tardó mucho en llegar a casa de la Liebre Marceña: comprendió que aquella sería la casa que buscaba porque las chimeneas tenían la forma de largas orejas y todo el techo estaba cubierto de piel. Era una casa tan grande, que no se decidió a acercarse a ella sin comer antes una miajita del pedacito de seta que conservaba en la mano izquierda, con lo cual creció hasta medir sesenta centímetros; pero, aun así y todo, se acercó con recelo, diciéndose:

—¿Y si resulta que está en un arrebato de locura? ¡Casi era preferible haber ido a ver al Sombrerero!

Una merienda de locos

Capítulo 7

Habían puesto la mesa delante de la casa y al pie de un árbol, y la Liebre Marceña y el Sombrerero estaban merendando. Sentado entre ellos, un Lirón dormía profundamente, y les servía para apoyar el brazo como en una almohada, en tanto que conversaban por encima de su cabeza.

«¡Qué molesto es eso para el Lirón! —pensó Alicia, pero añadió—: Ahora que, como duerme, no le debe de importar.»

La mesa era larga, pero los tres estaban apiñados en una esquina.

—¡No hay sitio! ¡No hay sitio! —empezaron a decir a voces, percatados de que alguien llegaba dispuesto sin duda a participar de la merienda.

—Yo veo que hay mucho sitio —contestó Alicia,

indignada. Y se acomodó en un sillón que había en un extremo de la mesa.

—Toma un poco de vino —le dijo la Liebre Marceña en tono alentador.

Alicia paseó la mirada por la mesa de cabo a rabo; pero no vio en ella más que tazas de té, por lo cual observó:

—No veo en ninguna parte el vino.

—Porque no hay —dijo la Liebre Marceña.

—Entonces no me parece correcto ofrecérmelo —repuso Alicia, enfadada.

—Tampoco es muy correcto sentarse a la mesa sin ser invitado —dijo la Liebre.

—Yo no sabía que fuera su mesa —dijo Alicia —; está puesta para muchos más que para tres.

—Habría que cortarle a usted el pelo —le dijo el Sombrerero.

La había estado observando bastante rato con gran curiosidad, y estas fueron las primeras palabras que le dirigió.

—Y usted tendría que aprender a no hacer alusiones personales —dijo Alicia con bastante severidad—. Es una gran falta de educación.

El Sombrerero la miró con los ojos muy abiertos; pero todo lo que se le ocurrió fue preguntar:

—¿Por qué se parecerán tanto los cuervos a las mesas de escritorio?

«¡Adelante! Veo que nos vamos a divertir —pensó Alicia—. Me alegro que hayan empezado a jugar a los disparates y a las adivinanzas.» Y alzando la voz dijo:

—Me parece que esa la adivino yo.

—¿Es que encuentras la solución? —dijo la Liebre Marceña.

—Seguro —contestó Alicia.

—Entonces, ¿por qué no dices lo que parece?

—Pues eso hago —replicó Alicia con presteza—. Al menos... creo decir lo que digo..., que es lo mismo, ¿comprende?

—¡Ca, ni por asomo! —dijo el Sombrerero—. Entonces dirías igualmente que «yo veo lo que como» es lo mismo que «yo como lo que veo».

—Y dirías también —añadió la Liebre Marceña— que decir «me gusta lo que tengo» es igual que decir «tengo lo que me gusta».

—Y con la misma razón afirmarías —agregó el Lirón, que parecía hablar dormido— que decir «yo respiro mientras duermo» es idéntico a «yo duermo mientras respiro».

—En tu caso sí lo es —observó el Sombrerero.

Y la conversación se cortó, de suerte que la compañía guardó silencio durante un minuto lo menos, mientras Alicia pensaba en todo lo que sabía acerca de los cuervos y los pupitres, que no era mucho por cierto.

El Sombrerero fue el que rompió el silencio.

—¿En qué día del mes estamos? —preguntó volviéndose a Alicia.

Había sacado el reloj del bolsillo y lo miraba con sobresalto, sacudiéndolo de vez en cuando y llevándoselo al oído.

Después de pensar un momento, Alicia le contestó:

—Día cuatro.

—¡Una diferencia de dos días! —dijo suspirando el Sombrerero—. Ya decía yo que con mantequilla no marcharía bien el reloj —agregó lanzando una mirada de ira a la Liebre Marceña.

—Pues era mantequilla de la mejor —repuso la Liebre Marceña endulzando la voz.

—Sí, pero habrá entrado también algo de broza —dijo entonces, gruñendo, el Sombrerero—. No la debías haber puesto con el cuchillo del pan.

La Liebre Marceña cogió el reloj y lo miró sombríamente; luego lo metió en su taza de té y volvió a observar; pero no se le ocurrió nada mejor que repetir lo primero que había dicho:

—Era mantequilla de la mejor.

Alicia había estado atisbando por encima del hombro con bastante curiosidad, y por fin dijo:

—¡Qué reloj más extraño! ¡Señala el día del mes y no indica la hora!

—¿Y por qué la tiene que indicar? —objetó el Sombrerero—. ¿Acaso tu reloj te dice en qué año vives?

—Claro que no —respondió Alicia vivamente—. Pero eso es porque marca siempre las mismas horas durante todo el tiempo del año.

—Que es precisamente lo que hace el mío —dijo el Sombrerero.

Alicia se desconcertó, pero estaba intrigadísima. Las palabras del Sombrerero le hacían el efecto de no querer decir nada, y no obstante le había hablado correctamente en español.

—La verdad, no acabo de comprender —dijo la niña en el tono más cortés que pudo.

—El Lirón se ha vuelto a dormir —dijo el Sombrerero salpicándole un poco de té caliente al hocico.

El Lirón sacudió la cabeza, nervioso, y dijo, sin abrirlos ojos:

—Por supuesto, por supuesto; es lo mismo precisamente que yo me iba a decir.

—¿Has adivinado el colmo? —dijo el Sombrerero dirigiéndose otra vez a Alicia.

—No —confesó esta—; me doy por vencida. ¿Cuál es la solución?

—No tengo la menor idea —dijo el Sombrerero.

—Yo tampoco —murmuró la Liebre Marceña.

Alicia suspiró con abatimiento.

—Creo que podrían ustedes aprovechar mejor el tiempo —les dijo— que dedicándose a preguntar adivinanzas sin solución.

—Si conocieras al Tiempo tan bien como yo —dijo el Sombrerero—, no hablarías de perderlo. El Tiempo es alguien.

—No veo lo que quiere decir —confesó Alicia.

—¡Claro que no! —dijo el Sombrerero moviendo despectivamente la cabeza—. Hasta diría que en tu vida has hablado con el Tiempo.

—Puede que no —respondió Alicia por si acaso—. Pero sé que cuando doy la lección de solfeo tengo que marcar el tiempo, dale que te pego.

—¡Ah, esta es la causa! —dijo el Sombrerero—. Él no quiere que le peguen. Pero con solo mantenerte en buenas relaciones con él, lograrías que hiciera del reloj lo que se te antojara. Supón, por ejemplo, que son las nueve de la mañana, la hora precisa de empezar las lecciones. Pues no tendrías más que murmurarle al Tiempo tu deseo, y él, en un abrir y cerrar de ojos, daría unas vueltas a las agujas, y enseguida daría la una y media, hora de comer.

—¡Ojalá fuera ya esa hora! —murmuró para sí la Liebre Marceña.

—Sería verdaderamente magnífico —subrayó Alicia, respondiendo al Sombrerero, muy pensativa—. Pero es que entonces no tendría apetito todavía, ¿sabe usted?

—Al principio puede que no; pero es que podrías hacer que fuera la una y media todo el tiempo que te viniera en gana.

—¿Es así como lo hacen ustedes? —preguntó Alicia.

El Sombrerero movió la cabeza melancólicamente contestando:

—¡Ay, yo no! Hemos reñido con el último mes de marzo... antes que se volviera loco, ¿sabes? —Y señalando a la Liebre Marceña con la cucharilla agregó—: Fue cuando el concierto extraordinario que dio la Reina de Corazones en el que yo hube de cantar:

¡Par... parpadea, murciélago,
perdido en el azul piélago!

Puede que conozcas la canción.

—Recuerdo algo parecido —dijo Alicia.

—Pero es que sigue, ¿sabes? —prosiguió el Sombrerero—; sigue de esta manera:

Tu vuelo se desmadeja
en un vaivén de bandeja.
Par... parpa... parpadea...

A esto, el Lirón se estremeció, y empezó a cantar en sueños: «Par... parpa... parpadea..., parpadea...», y si no le pellizcan, no se habría callado nunca.

—Pues bien —prosiguió el Sombrerero—, apenas hube terminado la primera estrofa, la Reina empezó a vociferar: «¡Está matando al Tiempo! ¡Cortadle la cabeza!»

—¡Qué barbaridad! ¡Qué fiera! —exclamó Alicia.

—Pues desde entonces —agregó el Sombrerero, muy condolido—, el Tiempo no quiere complacerme en nada. Se ha plantado en las seis de la tarde, y de ahí no sale.

Alicia tuvo un momento de claridad.

—¿Y esa es la causa de que haya aquí tanto servicio de té?

—Exactamente —dijo el Sombrerero suspirando—; siempre son las seis, y no hay tiempo de lavar la vajilla entre merienda y merienda.

—¿Entonces deben ustedes irse corriendo de silla en silla por la mesa? —observó Alicia.

—Ni más ni menos —dijo el Sombrerero—; nos vamos corriendo de sitio conforme la vajilla se va usando.

—Pero ¿cómo se las arreglan al dar toda la vuelta y llegar otra vez al mismo sitio? —se aventuró a preguntar Alicia.

—¿Y si cambiáramos de conversación? —dijo la Liebre Marceña, interrumpiéndoles y bostezando—. Me cansa este tema. Opino que la jovencita debiera contarnos una historia.

—Siento no saber ninguna —dijo Alicia, un poco alarmada por semejante idea.

—Entonces que lo haga el Lirón —exclamaron ambos—. ¡Despierta, Lirón! —Y le pellizcaron a derecha e izquierda.

El Lirón abrió los ojos muy despacio y dijo con voz enronquecida pero débil:

—No dormía, amigos; he estado oyendo cuanto decíais.

—¡Cuéntanos un cuento! —dijo la Liebre Marceña.

—Sí, ande usted —insistió Alicia.

—Y empieza pronto —le recomendó el Sombrerero—; no sea que te duermas a la mitad.

—Una vez eran tres hermanas pequeñas —empezó a decir el Lirón precipitadamente—, que se llamaban Elsa, Lucía y Dalia. Las tres vivían en el fondo de un pozo...

—¿Y de qué se alimentaban? —preguntó Alicia, que siempre se preocupaba por la cuestión del comer y beber.

—Vivían de triacas —afirmó el Lirón, tras un momento de perplejidad.

A lo que Alicia notó:

—No es posible; ¿no comprende que estarían siempre enfermas?

—Pues así estaban, en efecto —dijo el Lirón—, pero muy enfermas.

Alicia estuvo esforzándose por comprender lo que debía ser tan extraña manera de vivir, pero lo veía demasiado oscuro, y no pudo menos de hacer esta otra pregunta:

—Pero ¿cómo lo hacían para vivir en el fondo de un pozo?

—Toma un poco más de té —dijo la Liebre Marceña a Alicia con extremada solicitud.

—No lo he probado todavía —respondió Alicia en tono de persona ofendida—; no sé cómo voy a repetir.

—Quieres decir que no puedes tomar menos —dijo el Sombrerero—; pero es facilísimo tomar menos que nada.

—Nadie le ha dado vela en este entierro —repuso Alicia.

—¿Quién es el que hace ahora alusiones personales? —clamó victorioso el Sombrerero.

Alicia no supo qué decir ante esta salida; así es que se limitó a servirse ella misma una taza de té, pan y mantequilla, y se dirigió de nuevo al Lirón para hacerle la misma pregunta de antes:

—¿Cómo podían vivir las tres hermanas en el fondo de un pozo?

Otra vez el Lirón estuvo un rato perplejo, y por fin dijo:

—Es que era un pozo de triaca.

—¡No hay pozos así! —contestó Alicia, que empezaba a estar muy enojada.

Pero el Sombrerero y la Liebre Marceña le hicieron:

—¡Chitón! ¡Chitón!

El Lirón gruñó:

—Si no sabes portarte como Dios manda, acábate tú el cuento.

—¡No, no; continúe, haga el favor! —dijo Alicia con gran sumisión—. No volveré a interrumpirle. Puede que al menos haya uno de esos pozos.

—¡Naturalmente, hay uno! —exclamó el Lirón muy indignado. Pero continuó el relato—: Las tres hermanas estaban aprendiendo a dibujar, ¿sabéis?...

—¿Qué dibujaban? —preguntó Alicia, sin acordarse de lo que había prometido.

—Triacas —respondió el Lirón, sin pensar esta vez en absoluto lo que decía.

—Quiero una taza limpia —dijo, interrumpiendo el Sombrerero—; corrámonos todos un sitio.

Así diciendo, se pasó al sitio de al lado, y el Lirón le siguió; la Liebre Marceña se sentó en el lugar que había ocupado el Lirón, y Alicia, un poco a la fuerza, se sentó en el sitio de la Liebre Marceña. El Sombrerero fue el único que salió ganando con el cambio; y Alicia se encontraba bastante más molesta que antes, pues la Liebre Marceña había vertido la leche de la jarra en el platito de la taza que ahora le tocaba a la niña.

No quería Alicia disgustar otra vez al Lirón; así es que puso tiento en escoger las palabras al decirle:

—Perdone, no lo acabo de entender. ¿De dónde sacaban la triaca?

—¿No se saca agua de un pozo de agua? —contestó el Lirón—. Pues no seas estúpida, que lo mismo se saca triaca de un pozo de triaca.

Pero Alicia, sin darse por enterada de lo que la había llamado, volvió a interrogar:

—Sí, pero ¿es que ellas estaban metidas en el pozo?

—Claro que sí; metidas en el pozo estaban bien —dijo el Lirón como quien aclara un asunto.

La contestación desconcertó a Alicia de tal manera, que dejó que el Lirón siguiera hablando solo.

—Digo que estaban empezando a aprender a dibujar —y, al decirlo, el Lirón bostezó y se restregó los ojos, pues sentía mucho sueño—. Y dibujaban toda suerte de cosas..., es decir, todo género de cosas que empiezan por R...

—¿Por qué la R? —preguntó Alicia.

—¿Por qué no? —repuso la Liebre Marceña.

Alicia se mordió los labios.

En aquel momento, el Lirón había entornado los párpados y se quedaba dormido; pero el Sombrerero le pellizcó, y, lanzando un gritito, volvió a despertarse y prosiguió:

—... todas las cosas que empiezan por R, tales como ratonera, rayo de luna, recuerdo, redoble (sabrás que de muchas cosas dobles se dice redobles). Por cierto, ¿has visto alguna vez dibujos de redobles?

—Ahora que es usted quien me pregunta a mí —dijo Alicia—, me temo que no sabré contestar.

—Pues si no los has visto, no hables —dedujo el Sombrerero.

Esta falta de cortesía excedió la paciencia de Alicia, la cual, levantándose muy disgustada, se alejó. El Lirón se quedó al punto dormido, y tampoco los otros se percataron de que Alicia se marchaba. Se volvió un par de veces esperando que acaso la llamasen, y la última vez que lo hizo les vio que estaban tratando de meter al Lirón en la tetera.

—¡Por nada del mundo volveré! —se dijo Alicia, al paso que se alejaba por el bosque—. ¡Es la tertulia más estúpida a que he asistido en mi vida!

Al momento de decirse estas palabras, advirtió que había un árbol que tenía una puerta en el tronco.

«¡Qué curioso! —pensó—. Pero es que hoy todo lo es. Creo que lo mejor será entrar enseguida.»

Y empujó la puerta.

Otra vez se encontró en la gran sala de antes y junto a la mesita de cristal.

—Ahora me las arreglaré mucho mejor —se dijo.

Y comenzó por coger la llavecita de oro y abrir la puerta que daba a la abertura del jardín. Entonces puso en práctica su plan mordiendo un poquito uno de los pedazos de seta que todavía conservaba en el bolsillo del delantal. Cuando se vio de tres decímetros de estatura, se introdujo por el pasadizo,

El campo de cróquet de la Reina

Capítulo 8

Veíase a la entrada del jardín un espléndido rosal: sus rosas eran muy blancas, pero tres jardineros estaban ocupados en pintarlas de encarnado. Alicia lo encontró muy curioso; se acercó para verlos bien, y al hacerlo oyó que uno decía:

—¡Ten cuidado, Cinco! ¡No me salpiques así de pintura!

—Ha sido sin querer. El Siete me ha dado en el codo. Con lo cual el Siete levantó los ojos y dijo:

—Está bien, Cinco; échale siempre las culpas al vecino.

—Más te valdría no hablar —dijo el Cinco—. Ayer mismo se oyó decir a la Reina que debían cortarte la cabeza.

—¿Por qué? —preguntó el Dos, que había hablado primero.

—¿A ti qué te importa? —dijo el Siete.

—¿Pues no ha de importarle? —dijo el Cinco—. Y yo se lo digo: fue porque le llevó a la cocinera bulbos de tulipán en vez de cebollas.

El Siete arrojó el pincel al suelo y empezó a decir:

—¿Ah, sí? Pues de todas las injusticias... —Y al llegar aquí se contuvo de pronto porque acababa de ver a Alicia que le miraba; los otros también se volvieron, y todos hicieron una reverencia.

—¿Podrían decirme ustedes —preguntó la niña, con un poco de timidez— por qué pintan las rosas?

El Cinco y el Siete no dijeron nada; pero miraron al Dos. Este comenzó a decir en voz baja:

—Pues sabrá usted, señorita, que este rosal debía ser encarnado, y pusimos uno de rosas blancas por equivocación; y como la Reina se entere nos cortarán a todos la cabeza, ¿comprende? Así es, señorita, que hacemos lo que podemos antes que ella venga y...

En aquel momento, el Cinco, que había estado vigilando ansiosamente a un lado y otro exclamó:

—¡La Reina! ¡La Reina!

Y los tres jardineros se tendieron de bruces en el acto. Se oyó un ruido de muchos pasos, y Alicia se volvió para ver a la Reina.

Primeramente pasaron diez soldados de figura plana y cuadrilonga, que tenían los pies y las manos en sus ángulos y que iban armados de anchas espadas. Los seguían diez cortesanos, cuyas libreas estaban bordadas y recamadas de diamantes, los cuales marchaban de dos en dos, como los soldados. Seguían a los cortesanos los príncipes e infantes, que eran diez niños, y marchaban alegremente de la mano, también por parejas: todos ellos iban adornados con motivos de naipe. A continuación desfilaron los invitados, en su mayoría reinas y reyes, y entre ellos Alicia reconoció al Conejo Blanco. Iba hablando de una manera precipitada y nerviosa, y subrayaba con su sonrisa cuanto decía; pasó sin advertir la presencia de ella. Detrás marchaba la Sota de Corazones llevando la corona real en un almohadón de terciopelo grana. Y finalmente avanzaron, precedidos de tan brillante cortejo, el Rey y la Reina de Corazones.

Alicia no sabía si ella también se tenía que echar de bruces al suelo, como los jardineros; pero no recordaba que ante ninguna cabalgada o desfile se acostumbrara hacerlo. Y, sobre todo, ¿para qué hacer desfiles procesionales si todo el mundo se tuviera que echar con la cara pegada al suelo para no ver nada? Así es que continuó en pie esperando lo que sucediera.

Cuando todo el cortejo dio la vuelta y se puso de frente a Alicia, hizo alto, y todas las miradas se clavaron en ella.

—¿Quién es esa? —preguntó la Reina, con severidad.

Se lo dijo a la Sota de Corazones, que por toda respuesta sonrió e hizo una reverencia.

—¡Imbécil! —dijo la Reina moviendo la cabeza con nerviosismo. Y dirigiéndose a Alicia, le preguntó—: ¿Quién eres, niña?

—Me llamo Alicia, para servir a Vuestra Majestad —contestó Alicia con muy buenos modales; aunque para sí se dijo que no había que temerlos, pues no eran, al fin y al cabo, todos juntos más que una baraja de naipes.

—¿Y quiénes son esos? —agregó la Reina señalando a los tres jardineros, que como estaban boca abajo solo se les veía la espalda plana y rectangular, que tenía la misma muestra que la de todos, pues eran del mismo juego de cartas, y no advertía si eran jardineros, soldados, caballeros o tres de sus hijos.

—¿Cómo he de saberlo yo? —repuso Alicia, extrañada de su propio valor—. No es cuenta mía.

La Reina se encendió de ira y, después de mirarla con ojos relumbrantes de fiera, se puso a gritar:

—¡Que le corten la cabeza! ¡Que le...!

—¡Pamplinas! —dijo Alicia interrumpiéndola con decisión y alzando mucho la voz, para hacerla callar; acostumbrada a su nueva vida fantástica, la niña empezaba a sentirse segura de sí misma.

El Rey, apoyando la mano en el brazo de la Reina, le hizo esta reflexión:

—Piensa, querida mía, que se trata de una criatura.

La Reina se separó del Rey enojada y ordenó a la Sota, señalando a los jardineros:

—Volvedlos del otro lado.

Lo hizo la Sota con tiento, empujándolos con el pie.

—¡Arriba! —dijo la Reina con voz chillona y potente.

Y los tres jardineros se levantaron de un salto y empezaron a hacer reverencias al Rey, a la Reina, a los infantes y a todos los demás.

—¡Basta ya! —chilló la Reina—. Me estáis mareando. —Y acercándose luego al rosal dijo—: ¿Qué habéis estado haciendo aquí?

—Sea complacida Vuestra Majestad —contestó el Dos en tono muy humilde y doblando una rodilla al hablar—. Estábamos probando de...

—Lo veo, lo veo —dijo la Reina, que había observado las rosas—. ¡Cortadles la cabeza! —ordenó.

Y el cortejo reanudó la marcha, dejando tres soldados que eran los encargados de ejecutar a los pobres jardineros, y estos acudieron a Alicia en demanda de protección.

—¡No os cortarán la cabeza! —les dijo Alicia, y los metió en un tiesto grande que había allí cerca.

Los tres soldados estuvieron un rato buscando por aquel lugar, despistados, y por fin se fueron silenciosos en pos del cortejo.

—¿Han desaparecido sus cabezas? —vociferó la Reina.

—Sí, Majestad; han desaparecido —dijeron los soldados reciamente.

—¡Muy bien! —gritó la Reina.

Y enseguida dijo:

—¿Sabes jugar al cróquet?

Los soldados siguieron callados y miraron a Alicia, pues la pregunta parecía ir dirigida a ella.

—Sí —dijo Alicia gritando también.

—¡Pues andando! —rugió la Reina.

Y Alicia se unió al cortejo, haciéndose mil preguntas sobre lo que iría a suceder.

—Hace... hace un día espléndido —murmuró tímidamente una voz a su lado.

Era el Conejo Blanco, que iba junto a ella y la miraba la cara con ansiedad.

—Mucho —dijo Alicia—. ¿Dónde está la Duquesa?

—¡Tate! ¡Tate! —dijo el Conejo apresuradamente en voz baja. Volvió la cabeza para mirar con disimulo por encima del hombro; se puso de puntillas, se acercó a su oído y le dijo—: Está condenada a muerte.

—¿Por qué esa pena? —preguntó Alicia.

—¿Dices que es una pena? —repuso el Conejo.

—No. No digo eso. No creo que sea una lástima. Preguntaba la causa de la sentencia.

—Es que la Duquesa ha abofeteado a la Reina.

Alicia dio un grito reprimiendo la risa.

—¡Chitón! —murmuró el Conejo, lleno de miedo—. La Reina te va a oír. Pues sabrás que la Duquesa ha llegado tarde, y la Reina le ha dicho...

No pudo continuar, porque la Reina dijo en aquel instante con voz de trueno:

—¡Cada cual a su sitio!

Y toda aquella gente empezó a correr en todos sentidos, tropezando unos con otros. Sin embargo, pronto estuvieron a punto y comenzó la partida. Alicia pensó que no había visto en su vida un campo de cróquet tan curioso como aquel: estaba cruzado de lomas y surcos; las bolas de jugar eran erizos vivos; los mallets, o largas mazas para dar a las bolas, eran sustituidos por flamencos de largas patas y largo cuello, y los soldados se tenían que encorvar apoyándose sobre las manos para formar los arcos por donde pasasen las bolas.

La primera dificultad con que tropezó Alicia fue el manejar su flamenco; por fin consiguió cogerle el cuerpo bajo el brazo, con las patas colgando, pero casi todas las veces, en el momento en que, estirando el cuello del ave, Alicia se disponía a usarlo como maza para dar el golpe al erizo, el flamenco doblaba el cuello levantando la cabeza y mirándola fijamente con ojos tan asombrados que ella no podía dejar de echarse a reír; y cuando otra vez se disponía a dar el golpe, era muy irritante ver que el erizo se desenrollaba y empezaba a andar; además, ocurría que siempre se interponía

un surco o un desnivel del terreno en el sitio por donde ella quería lanzar el erizo, y los soldados que hacían de arco se levantaban a cada momento y se trasladaban de lugar. Alicia pronto se convenció de que era muy difícil aquella partida.

Todos los jugadores intervenían a la vez, sin esperar turno, riñendo continuamente y disputándose los erizos; y muy pronto la Reina tuvo un ataque de rabia y empezó a andar de un lado para otro dando voces así:

—¡Que le corten a esa la cabeza! ¡Que le corten a esa la cabeza!

Alicia empezó a sentirse incómoda; en verdad que hasta entonces no había tenido la menor disputa con la Reina, pero comprendía que podía suceder de un momento a otro, y pensaba: «¿Y entonces qué será de mí? ¡Tienen aquí tanta afición a decapitar a la gente! Lo extraño es que quede todavía alguno en pie».

Así pensando, miraba en derredor buscando una escapatoria, no sabiendo si le iba a ser posible evadirse sin ser vista, cuando vio una rara aparición en el aire; al principio la desconcertó mucho, pero al cabo de un rato de mirarla atentamente vio que tenía una gran sonrisa, y enseguida se dijo:

—¡Ese es el Gato de Cheshire! Ahora tendré alguien con quien hablar.

—¿Cómo estás? —le dijo el Gato en cuanto tuvo la boca bastante «reaparecida» para poder hablar.

Alicia esperó hasta que se le aparecieron también los ojos.

«No conducirá a nada hablarle —pensó— hasta que no le aparezcan las orejas; por lo menos, hasta que tenga una.»

Al cabo de un rato, la cabeza del Gato era una aparición completa, y entonces Alicia dejó al flamenco y empezó a hacer un relato de la partida, muy contenta de tener a alguien que la escuchara. El Gato debía de creer que con su cabeza bastaba, pues el cuerpo no se le apareció.

—Me parece que no juegan de buena fe —empezó a decir Alicia en tono condolido—, y riñen de una manera tan tremenda que no se entiende nadie... Además, parece que no tienen reglamento alguno; al menos, si lo hay, nadie lo observa... Y no tiene usted idea de cómo confunde el que todas las cosas sean vivas: por ejemplo, allá estaba el arco por donde tenía que hacer una jugada hasta el otro lado del campo... Y hubiera dado al erizo de la Reina, a no ser que echó a andar cuando vio que el mío se acercaba.

—¿Cómo encuentras a la Reina? —dijo el Gato bajando la voz.

—No me gusta nada —repuso Alicia—; tiene tan extremada...

En aquel preciso momento advirtió que la Reina estaba escuchando a su lado, por lo cual se le ocurrió terminar de esta manera:

—... tan extremada tendencia a ganar, que casi no vale la pena esperar el resultado de la partida.

La Reina sonrió y siguió adelante.

—¿Con quién hablas? —dijo el Rey acercándose a Alicia y mirando la cabeza del Gato, lleno de curiosidad.

—Es un amigo mío: un Gato de Cheshire —dijo Alicia—, permítame Vuestra Majestad que se lo presente.

—No me gusta del todo su mirada —observó el Rey—; sin embargo, puede besarme la mano si quiere.

—Prefiero no besársela —confesó el Gato.

—No seas impertinente —dijo el Rey—, ¡y no me mires de esa manera! —Y, así diciendo, se puso, asustado, detrás de Alicia.

—Los gatos pueden mirar a los reyes —dijo Alicia—; así lo he leído en alguna parte que ahora no recuerdo.

—Pues es preciso sacarlo de aquí —dijo el Rey imperativamente. Y llamó a la Reina, que acertaba a pasar otra vez por allí—: Oye, querida mía, quisiera que hicieras sacar de aquí ese Gato.

La Reina sólo tenía una manera de resolver las dificultades, fuesen grandes o pequeñas:

—¡Que le corten la cabeza! —contestó, sin molestarse siquiera en volver los ojos.

—Yo mismo iré por el verdugo —dijo el Rey, con impaciencia, y echó a correr.

Alicia pensó que también ella debía ir de nuevo a ver cómo seguía la partida, y volvió a oír la voz chillona de la Reina, indignada. Había dictado otras tres sentencias de muerte contra otros tantos jugadores que habían perdido el turno, y le desagradó ver cómo estaba la cosa, pues la partida andaba tan revuelta y confusa que no le era posible saber cuándo le tocaba a ella. Y se fue en busca de su erizo.

Este se hallaba enzarzado en una refriega con otro erizo, lo cual le pareció a Alicia una excelente ocasión para hacer una jugada; pero existía una dificultad, y era que el flamenco de Alicia se había ido al otro lado del jardín, donde se le veía haciendo esfuerzos desesperados por volar a un árbol.

En el tiempo que tardó en ir a buscar al flamenco y volver con él, la lucha de los erizos había terminado, desapareciendo de allí los dos.

«Pero eso poco importa —pensó Alicia—, ya que todos los arcos se han ido de este lado del campo.» Así es que, apretando al flamenco con el brazo para que no se le escapara otra vez, se fue a charlar un poco más con su amigo.

Al llegar al sitio donde el Gato de Cheshire se le había aparecido, la llenó de sorpresa el encontrarse con que le estaba rodeando una gran muchedumbre: se había entablado un debate entre el verdugo, el Rey y la Reina, todos los cuales hablaban a la

vez, en tanto que la concurrencia guardaba silencio y parecía sentirse muy molesta.

En cuanto vieron que Alicia se acercaba se dirigieron los tres a ella clamando que solventase la cuestión, y le dieron todas sus razones; pero como hablaban a la vez, le era muy difícil entender lo que decían.

La razón del verdugo era que no podía cortar una cabeza si no estaba unida a un cuerpo; que nunca se le había presentado un caso semejante y que no estaba dispuesto a cambiar de sistema a su edad.

El argumento del Rey era que todo aquello que tenía cabeza podía ser descabezado, y que no había que decir tonterías.

La teoría de la Reina consistía en sostener que si no se cumplía una sola de sus órdenes inmediatamente, haría que le cortaran la cabeza a todo el mundo. Estas palabras hicieron que toda la reunión adoptara un aspecto grave e inquieto.

A Alicia no se le ocurrió más que decir lo siguiente:

—Eso es cosa de la Duquesa: más vale que se lo pregunten a ella.

—Está en la cárcel —dijo la Reina al verdugo—; ve por ella.

Y el verdugo partió como una flecha.

Al punto en que este desapareció, la cabeza del Gato empezó a desvanecerse, y cuando estuvo de vuelta con la Duquesa, se había esfumado por completo; por lo cual el Rey y el verdugo empezaron a buscarle desorientados por todas partes, en tanto que los demás componentes de la reunión se fueron a reanudar la partida.

La historia de la Falsa Tortuga

CAPÍTULO 9

No sabes lo contenta que estoy de volverte a ver, amiguita mía —dijo la Duquesa estrechando su brazo afectuosamente cuando las dos se fueron juntas de paseo.*

Alicia se alegraba de encontrarla de tan buen humor, y pensó que sería la pimienta la causa de su fuerza cuando la encontró en la cocina.

«Cuando sea duquesa —se decía Alicia, no muy convencida de su propia esperanza—, no permitiré que haya pimienta en mi cocina. La sopa es muy buena sin pimienta: probablemente, la pimienta tiene la culpa de que la gente se irrite —prosiguió, muy animada por haber hecho este descubrimiento—; el vinagre agria el carácter, la manzanilla da desabrimiento, y el alfeñique y las golosinas hacen que los niños sean apacibles. Quisiera que todo el mundo lo supiese, porque entonces no le tendrían tanta afición a las cosas, pues hay que saber...»

Se había olvidado completamente de la Duquesa, por lo que se asustó un poco al oírle decir a su lado:

—Hay algo que te preocupa, querida, y te olvidas de hablar. No podría decirte en este momento la enseñanza que debe desprenderse de ello, pero no he de tardar en encontrarla.

—Puede que esto no tenga moraleja —se aventuró a observar Alicia.

—¡Calla, calla, criatura! —dijo la Duquesa—. Todas las cosas tienen su moraleja, si se sabe encontrar. —Y así diciendo estrechó más fuertemente el brazo de Alicia.

No le gustaba mucho a Alicia ir tan cerca de ella, en primer lugar porque la Duquesa era feísima, y en segundo, porque tenía la estatura precisa para llegar a apoyar el mentón en su hombro, y era una barbilla la suya verdaderamente molesta. No obstante, como no quería ser brusca, lo soportó lo mejor que pudo.

—La partida va ahora algo mejor —dijo por animar un poco la conversación.

—Así es —afirmó la Duquesa—, y la enseñanza que de ello se desprende es..., ¡oh!, «es que el amor, que es armonía, es lo que hace girar al mundo».

—Creo haber oído decir a alguien que los que hacen marchar al mundo son los que se preocupan por lo que les importa.

—Sí, bien. En el fondo, viene a ser lo mismo —dijo la Duquesa apretando la barbilla en el hombro de Alicia, mientras agregaba—: Y la moraleja de esto es la siguiente: «Cuida del sentido de las cosas, que la expresión viene por sí sola».

«¡Qué aficionada es —pensó Alicia— a sacarle a todo la moraleja!»

—Diría que estás extrañada de que no te pase el brazo por la cintura —dijo la Duquesa después de una pausa—; pero si no lo he hecho es porque desconozco el temperamento de tu flamenco. ¿Quieres que pruebe?

—Puede darle un fuerte picotazo —respondió Alicia cautamente, sin el menor deseo de hacer tal experimento.

—Es cierto —concedió la Duquesa—. Los flamencos, como la mostaza, pican, y la enseñanza es el refrán que dice: «Dios los cría y ellos se juntan», o bien este: «Aves de igual plumaje hacen buen maridaje».

—Solo que la mostaza no es un ave —observó Alicia.

—Ciertamente, así suele ser. ¡Pero con qué claridad presentas las cosas!

—Creo que la mostaza es un mineral —añadió Alicia.

—Por supuesto —recalcó la Duquesa, que parecía estar dispuesta a encontrar bien todo lo que Alicia dijera—. No lejos de aquí hay una gran mina de mostaza de mi propiedad. Y la lección de este hecho es que «Cuanto más tengo yo, menos tendrás tú».

—¡Ah, ahora caigo! —exclamó Alicia, que no había prestado atención a las palabras de la Duquesa—. La mostaza es un producto vegetal, aunque no lo parezca.

—Estoy completamente de acuerdo —dijo la Duquesa—; y la moraleja en este caso es la siguiente: «Sé lo que quieres parecer», o, para decirlo con mayor claridad: «Nunca creas que eres distinta de como aparezcas a los ojos del prójimo, que lo que fueras o hubieras sido no será, ni más ni menos, que lo que fuiste, aunque a ellos les pareciese lo contrario».

—Creo —observó con mucha cortesía Alicia— que lo comprendería mejor si lo viera escrito, porque de la manera que usted me lo dice, me pierdo un poco.

—Pues eso no es nada comparado con lo que podría decir, puesta a cavilar—contestó la Duquesa en tono muy amable.

—Por favor —dijo Alicia—, no se moleste usted en repetirlo de una manera más larga.

—¡Ca, no; no hables de molestias! —contestó la Duquesa—. Te regalo todo lo que hasta ahora he dicho.

«¡Qué economía de regalos! —pensó Alicia—. ¡Y qué bien que el día del santo de uno no sea costumbre hacerle regalos como este!» Pero no se atrevió a decirlo en voz alta.

—¿Otra vez pensativa? —le preguntó la Duquesa volviendo a hincar su mentón en el hombro de la niña.

—Creo que tengo derecho a cavilar —repuso Alicia, que ya empezaba a cansarse.

—Eso es —replicó la Duquesa—; por lo menos, tanto como los cerdos para volar y las morale...

Pero en este momento, con gran asombro de Alicia, la Duquesa enmudeció y le aflojó el brazo temblando con voz apagada al pronunciar su palabra favorita: «moraleja».

Alicia levantó los ojos y vio que tenía delante a la Reina, cruzada de brazos y frunciendo el ceño con amenazas de tormenta.

—¡Qué hermoso día, Majestad! —empezó a decir la Duquesa, con voz débil y apagada.

—Te aviso con nobleza —gritó la Reina, dando a la vez un golpe con el pie en el suelo—: o se prescinde de ti o de tu cabeza, y en este caso la ejecución se hará en menos que se dice. ¡Escoge!

La Duquesa optó por lo mejor, y fuese al punto.

—Vamos a continuar la partida —dijo la Reina a Alicia.

Alicia iba temerosa de despegar los labios, siguiendo a la Reina al campo de cróquet.

Los invitados habían aprovechado la ausencia de la Reina para tumbarse a descansar a la sombra; pero en cuanto la vieron se apresuraron a reanudar el juego, y la Reina se limitó a advertir que un segundo de tardanza les costaría la vida.

Mientras duraba el juego, la Reina no cesaba de reñir, de disputar con unos jugadores o con otros, y de gritar: «¡Que le corten la cabeza a este! ¡Que le corten la cabeza a aquella!».

A todos los que iban siendo sentenciados los vigilaban los soldados, para lo cual tenían que dejar de prestar su servicio como arcos del juego; así es que al cabo de media hora aproximadamente no quedaba un solo arco para el cróquet, y todos los jugadores estaban custodiados como reos de muerte, a excepción del Rey, la Reina y Alicia.

Entonces la Reina, sin aliento, dejó el campo y preguntó a Alicia:

—¿Has visto la Falsa Tortuga?

—No —contestó Alicia—; ni tengo idea de cómo sea una Falsa Tortuga.

—Pues es la cosa con que se hace la sopa de imitación de tortuga de mar —aclaró la Reina.

—Nunca lo he visto ni he oído hablar de ello.

—¡Andando, pues! —dijo la Reina—, y ella misma te contará su historia.

Cuando todos se retiraron, el Rey dijo varias veces:

—Todos estáis perdonados.

«¡Mira qué bien!», se dijo Alicia, que estaba sumamente apesadumbrada por las numerosas sentencias de muerte que la Reina dictara.

Pronto llegaron a un lugar donde había un Grifo que dormía profundamente al sol (si no sabéis lo que es un Grifo, vedlo en el grabado).

—¡Arriba, perezoso! —dijo la Reina—. Levántate y acompaña a esta jovencita a visitar a la Falsa Tortuga para ver si se cumplen varias sentencias de muerte que he dictado.

Y se alejó, dejando a Alicia sola con el Grifo. No le hacía mucha gracia a Alicia la facha de aquella criatura; pero, en resumidas cuentas, tan segura estaría en su compañía como en la de la furiosa Reina. Esta consideración la decidió a esperar.

El Grifo se levantó y se restregó los ojos; luego se quedó mirando a la Reina hasta que se hubo perdido de vista. Por fin dijo guturalmente estas palabras, sin acabar de dirigirse a Alicia:

—¡Qué broma más chocante!

—¿Cuál es la broma? —preguntó Alicia.

—¡Que la Reina es muy chocante! —dijo el Grifo—. Todo es fantasía suya, pues nunca ejecutan a nadie, ¿sabes? ¡Adelante! Vamos.

«En esta tierra —pensó Alicia mientras le seguía lentamente—, todos dicen: "¡Adelante!" ¡Nunca, nunca en mi vida me había mandado así todo el mundo!»

No habían andado mucho cuando vieron a lo lejos, a la Falsa Tortuga sentada triste y solitaria en un estrecho margen de roca, y cuando se acercaron un poco más a ella, Alicia la oyó suspirar como si se le partiera el corazón. La compadeció profundamente.

—¿Por qué tiene esa pena? —le preguntó al Grifo.

Y este le contestó, murmurándole otra vez al oído:

—Todo es fantasía suya; en realidad, no le pasa nada, ¿sabes? ¡Adelante!

En esto llegaron a donde estaba la Falsa Tortuga, que les miró con los ojos abiertos y llenos de lágrimas sin decirles nada.

—Aquí está esta señorita —dijo el Grifo—, que viene para que le cuentes tu historia.

—Lo haré —contestó la Falsa Tortuga con quejumbrosa y hueca voz—. Sentaos y no me interrumpáis hasta el final.

Con lo cual se sentaron, y nadie pronunció una palabra durante un buen rato. Alicia pensaba: «Mal podrá acabar, si no comienza». Pero siguió aguardando con paciencia.

—En otro tiempo —dijo por fin la Falsa Tortuga—, yo era una tortuga de verdad.

Estas palabras fueron seguidas de otro largo silencio, sólo interrumpido por el grito del Grifo, que era un chirrido así: «¡Hjkrrh!», y por el constante y cansado sollozar de la Falsa Tortuga.

Alicia estaba ya a punto de levantarse y decir: «Muchas gracias, señora, por su interesante relato», pero no podía dejar de pensar que algo más debía de haber, y ello le hizo continuar esperando silenciosa.

—Cuando éramos pequeños —dijo la Falsa Tortuga, por fin un poco más tranquila, pero dando todavía sollozos de vez en cuando—, íbamos a la escuela del mar. La maestra era una vieja tortuga a la que llamábamos galápago.

—¿Por qué la llamaban galápago? —preguntó Alicia.

—La llamábamos galápago porque tenía a gala enseñarnos mucho —repuso la Tortuga, muy enfadada—. ¡La verdad, que eres torpe!

—Debía darte vergüenza preguntar esas simplezas —añadió el Grifo.

Y ambos se sentaron mirando a Alicia, en tanto que la pobrecilla deseaba que se la tragase la tierra. Por fin, el Grifo hizo a la Falsa Tortuga esta advertencia:

—¡Continúa, amiga, que a este paso nos sorprenderá la noche!

Y la Tortuga reanudó así el relato:

—Sí, aunque no lo creas, íbamos a la escuela del mar.

—Yo no he dicho lo contrario —protestó Alicia.

—Sí, lo has dicho —insistió la Falsa Tortuga.

—¡Cállate! —agregó, interviniendo, el Grifo, sin dar tiempo a que Alicia siguiera protestando. Y la Tortuga continuó:

—Recibíamos una educación modelo... En efecto, íbamos a clase todos los días.

—También yo he estado yendo todos los días al colegio, y no es para tener ese orgullo.

—¿A un colegio con clases de adorno? —preguntó la Tortuga, un poco intranquila.

—Sí —afirmó Alicia—; aprendíamos francés y música.

—¿Y lavado? —volvió a preguntar la Tortuga.

—¡Claro que no! —respondió Alicia, indignada.

—¡Ah, pues si no os enseñaban el arte de lavarse y lavar, vuestro colegio no era precisamente de lo mejor! —dijo la Tortuga recobrando la tranquilidad—. Pues en nuestro colegio, al final de la cuenta del mes, ponían: francés, música y lavado, extra.

—Pero eso del lavado no os haría mucha falta si vivíais en el fondo del mar.

—Yo no podía gastar tanto —dijo la Tortuga suspirando—; yo solo daba las clases ordinarias.

—¿Cuáles eran? —preguntó Alicia.

—Eran cursos de Girar y Retorcerse, para empezar, por supuesto —contestó la Falsa Tortuga—; luego las diferentes ramas de la aritmética: Ambición, Distracción, Afeamiento e Irrisión...

—Nunca he oído eso de Afeamiento —se atrevió a decir Alicia—. ¿Qué es?

El Grifo levantó las dos garras delanteras, lleno de asombro, y exclamó:

—¡No saber lo que es Afeamiento! Supongo que sabrás lo que es embellecimiento.

—Sí —dijo Alicia con incertidumbre—; significa... hacer... hacer que una cosa sea más bonita de lo que es.

—Bien —continuó el Grifo —; entonces, si no comprendes lo que significa afeamiento es que eres tonta de remate.

Alicia no se sintió con ánimos de seguir objetando, y dirigiéndose a la Tortuga le preguntó:

—¿Qué más estudiabais?

—Pues también dábamos la asignatura de Misterio —respondió la Falsa Tortuga sacudiéndose las aletas como si de ellas se sacara la memoria—, Misterio antiguo y moderno, con Mareografía; luego Mascullamiento prosódico. El profesor de esta asignatura era un viejo congrio que acostumbraba a ir una vez a la semana; solía darnos lección de Mascullamiento o Deletreamiento, Alargamiento y Extenuamiento en los remolinos.

—¿Y cómo es eso? —preguntó Alicia, sin poder ocultar una evidente sorpresa.

—Verás, yo misma no te lo puedo enseñar —contestó la Falsa Tortuga—; me he vuelto demasiado rígida. Por su parte, el Grifo nunca lo ha aprendido.

—No tuve tiempo —dijo el Grifo—; sin embargo, asistí a las clases del maestro clásico. Era un cangrejo que ya tenía algunos años.

—Yo no tuve ocasión de aprender con él —dijo la Falsa Tortuga exhalando un suspiro—; enseñaba la Risa y la Amargura, según decían.

—En efecto, esa era su especialidad —afirmó el Grifo, empezando también a suspirar.

Y los dos se cubrieron el rostro con las patas.

—¿Y cuántas horas de clase teníais? —se apresuró a preguntar Alicia, deseosa de cambiar de asunto.

—Diez horas el primer día —dijo la Falsa Tortuga—, nueve el segundo, y así sucesivamente, una hora menos cada día.

—¡Qué plan más curioso! —exclamó Alicia, profundamente admirada.

—Es que se trataba de enseñanza gradual —observó el Grifo—, que iba siendo un poco menos necesaria cada día.

Era esta una idea completamente nueva para Alicia, y no se decidió a hacer ninguna observación a propósito de la misma sin pensarlo antes un buen rato.

—Entonces el día que hiciera once sería fiesta.

—Naturalmente —dijo la Falsa Tortuga.

—¿Y cómo se las arreglaban el día doce?

—¡Basta de lecciones! —dijo el Grifo, interrumpiéndoles en tono imperioso—: Ahora cuéntame algo acerca de los juegos.

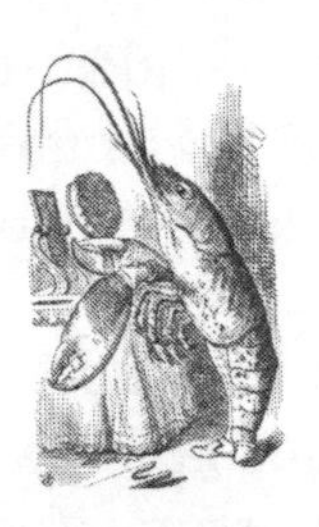

El baile de la Langosta

Capítulo 10

La Falsa Tortuga suspiró profundamente y se pasó el dorso de una de sus patas por los ojos. Miró a Alicia y le quiso decir algo, pero estuvo un rato sin poder, pues los sollozos la ahogaban. —¡Ni que tuviera un hueso en la garganta! —dijo el Grifo, y empezó a sacudirle y darle golpecitos en la espalda.

Por fin, la Falsa Tortuga recobró el habla y, derramando copiosas lágrimas, reanudó así el relato:

—Seguramente habrás vivido poco en el fondo del mar.

—No, nunca —contestó Alicia.

—Entonces no te habrán presentado a ninguna langosta.

Alicia comenzó a decir:

—Una vez la probé... —pero en el acto se interrumpió y dijo, rectificando—: No, nunca.

—Entonces no tienes idea de qué cosa más divertida es el baile de la Langosta.

—Es verdad: no lo sé —dijo Alicia— ¿Cómo es ese baile?

—Verás —dijo el Grifo—; primeramente se forma una línea a lo largo de la playa.

—¡Dos filas! —interrumpió la Falsa Tortuga—. Se alinean las focas, las tortugas, el salmón y así los demás animales. Luego quitan de en medio todas las medusas...

—Lo cual lleva bastante tiempo —interrumpió el Grifo.

—Entonces se dan dos pasos...

—Cada cual con una langosta —dijo el Grifo interrumpiendo otra vez.

—¡Claro está! —contestó la Falsa Tortuga—. Se avanzan dos pasos por parejas...

—Se cambia de langosta y todos vuelven a su sitio en el mismo orden —continuó el Grifo.

—Entonces, ¿sabes? —prosiguió la Falsa Tortuga—, entonces se lanzan...

—¡Las langostas! —exclamó el Grifo dando un salto.

—Se arrojan al aire, lo más alto posible.

—¡Y a nadar detrás de ellas! —gritó el Grifo.

—¡Luego se da un salto mortal! —exclamó la Falsa Tortuga moviéndose indecisa de un lado a otro.

—¡Otro cambio de langostas! —volvió a exclamar el Grifo.

—Después de lo cual se vuelve a tierra, y termina la primera figura del baile —dijo la Falsa Tortuga con voz cansada.

Y aquellos dos seres, que habían estado dando cabriolas como locos, se sentaron rendidos y callados, sin dejar de mirar a Alicia.

Ella dijo con timidez:

—Debe de ser un baile muy bonito.

—¿Te gustaría verlo un rato? —le preguntó la Falsa Tortuga.

—Muchísimo —contestó Alicia.

—Vamos, pues, a probar de hacer la primera figura —le dijo la Falsa Tortuga al Grifo—. Lo haremos sin langostas, ¿sabes? ¿Quién cantará?

—Eso tú —dijo el Grifo—, que yo no me acuerdo de la letra.

Así pues, se pusieron a bailar solemnemente en torno a Alicia, pisándola de vez en cuando al pasar demasiado cerca y llevando el compás con las patas de delante, en tanto que la Falsa Tortuga cantaba de esta suerte, muy despacio y con tristeza:

—Ven ligero, caracol —dijo la merluza—, piensa
que el delfín toca mi cola persiguiéndome de cerca.
Las langostas y tortugas tras una ansiosa carrera,
para comenzar la danza en dos filas nos esperan.

¿Quieres danzar? ¿Quieres, o no, entrar en la danza nuestra?
¿Quieres danzar? ¿Quieres, o no, entrar en la danza nuestra?

—Es ésta una diversión como no tienes idea:

salta como las langostas por el agua, dentro y fuera.
Mas el caracol responde: —¡Qué lejos! —lleno de pena—.
Gracias, señora merluza; mas la danza no me tienta.

¿Puedo danzar? No puedo, no, entrar en la danza vuestra.
¿Puedo danzar? No puedo, no, entrar en la danza vuestra.

—¿Mas qué importa la distancia?
—dijo la merluza en réplica—.
Bien sabes que a la otra orilla se extiende otra playa inmensa.
África está al otro lado, lo más lejos y más cerca;
no te asustes, caracol, y ven conmigo a la fiesta.

¿Quieres danzar? ¿Quieres, o no, entrar en la danza nuestra?
¿Quieres danzar? ¿Quieres, o no, entrar en la danza nuestra?

—Muchas gracias; da gusto ver este baile —dijo Alicia, dando gracias a Dios de que por fin hubiese terminado—. ¡Y qué linda esa canción de la merluza!

—¡Ah! Por lo que hace a las pequeñas, a las jóvenes merluzas —repuso la Falsa Tortuga—, supongo que sabrás có mo son, ¿no?

—Sí —dijo Alicia—, las he visto muchas veces a la hora de com... —se interrumpió sin terminar la palabra «comer».

—No sé lo que quiere decir eso de *com* —confesó la Falsa Tortuga—, pero si tan a menudo las has visto, bien sabrás cómo son.

—Creo que sí —replicó Alicia, pensativa—. Se ponen mordiéndose la cola, y suelen rodearse de migas tostadas.

—En eso de las migas te equivocas —observó la Falsa Tortuga—; las migas desaparecerían en el mar, pero sí suelen morderse la cola y la causa de ello es...

Aquí la Falsa Tortuga bostezó y cerró los ojos, diciendo al Grifo:

—La causa de ello es... Dile tú la causa y todo eso.

—En efecto, si se muerden la cola —dijo el Grifo—es porque debieron tomar parte en la danza de la langosta, y saltarían sobre el agua para ir a caer muy lejos, y para este ejercicio está bien que se sujeten la cola con la boca. Luego soltarla ha de serles difícil. Nada más.

—Muchas gracias —repuso Alicia—; es muy interesante. No sabía tanto acerca de la merluza joven.

—Pues todavía puedo decirte mucho más, si quieres —dijo el Grifo—. ¿Y sabes por qué se llama merluza?

—Nunca se me ha ocurrido pensarlo. ¿Por qué?

—Porque sirve para las botas y los zapatos —contestó el Grifo con mucha seriedad.

Alicia se desconcertó por completo y repitió en tono de extrañeza:

—¡Botas y zapatos!

—¿Pues de qué están hechos tus zapatos? —dijo el Grifo—. Quiero decir, ¿qué es lo que los hace tan brillantes?

Alicia se miró los zapatos y reflexionó un poco antes de dar una contestación.

—Creo que es la crema con que los han limpiado. Por eso tienen reflejos.

—Pues el calzado, en el mar —agregó el Grifo con voz profunda—, se abrillanta con mer-LUZ-a.

—Pero ¿con qué se hacen los zapatos? —preguntó Alicia, llena de curiosidad.

—Con suelas de lenguado y cordones de anguila —aclaró el Grifo, un poco nervioso—. ¡Cualquier atún podía habértelo dicho!

—En lugar de la merluza —dijo Alicia, cuyos pensamientos giraban todavía en torno a la canción—, le hubiera dicho al delfín: ¡aparta, no te queremos con nosotros!

—No tenía más remedio que admitirlo —observó la Falsa Tortuga—; ningún pez sensato iría a parte alguna sin un delfín.

—¿De veras? —preguntó Alicia con enorme sorpresa.

—Naturalmente —explicó la Falsa Tortuga—, lo primero que yo tengo en los labios cuando un pez me habla de hacer un viaje es la palabra «delfín», pues creo que solo del-fin de un viaje depende este.

—Pero ¿quiere usted decir delfín en una sola o dos palabras? —objetó Alicia.

—Quiero decir lo que digo —replicó la Falsa Tortuga, sintiéndose ofendida.

Y el Grifo añadió:

—Veamos, cuéntanos tus aventuras.

—Podría contároslas... a partir de esta mañana —contestó Alicia con cierta timidez—; pues no conduciría a nada hablar de ayer, porque ayer yo era otra persona.

—Aclara eso —dijo la Falsa Tortuga.

—¡No, no! Primero las aventuras —clamó el Grifo, con impaciencia—, que las explicaciones llevan siempre demasiado tiempo.

Con lo cual Alicia empezó a contarles sus aventuras desde que conoció al Conejo Blanco. Al principio se intimidó un poco porque aquellos dos seres se le acercaron de tal manera, uno a cada lado, los ojos muy abiertos, que le costó algún esfuerzo el sentirse confiada y animosa.

Ambos oyentes estuvieron muy callados hasta que llegó a aquello de «Eres viejo, padre Guillermo...», que le había recitado al Gusano de Seda; todo el recitado le salió distinto, por lo cual la Falsa Tortuga, respirando profundamente, dijo:

—¡Qué curioso!

—¡A más no poder! —convino el Grifo.

—¡Del todo distinto al original! —replicó la Falsa Tortuga, muy preocupada. Y dirigiéndose al Grifo, como concediéndole mayor autoridad sobre Alicia, le rogó de esta suerte—: Me gustaría que probara a repetir algún trozo. Dile que vuelva a comenzar.

Y el Grifo ordenó:

—Levántate y repite aquello de «Cantando la cigarra pasó... ».

«¿Cómo es que todas las criaturas me mandan y hasta me hacen repetir las lecciones? —pensó Alicia—. Tanto valdría encontrarme ahora mismo en el colegio.»

No obstante, se puso en pie y empezó a repetir la fábula, pero le bullían en la cabeza de tal manera las cosas del baile de la Langosta, que a duras penas se daba cuenta de lo que decía, y le salió el siguiente recitado, extraño en verdad:

La Langosta exclamó:
—¡Demasiado cocida;
me tendré que endulzar
con azúcar el pelo!
Como el pato se enrosca
con el pico en el pecho,
bajaré la nariz
de mis pies a mis dedos.

—Es distinto de lo que yo acostumbraba a recitar de chico —expuso el Grifo.

—La verdad es que yo nunca lo había oído así — dijo la Falsa Tortuga—, pero suena a cosa falta en absoluto de sentido.

Alicia no contestó; se sentó de nuevo apoyando la cara entre las manos, sin saber si ocurriría ya nunca nada dentro de lo normal. Pero la Falsa Tortuga le dijo:

—Me gustaría que me lo explicases.

—No puede explicarlo —intervino el Grifo al instante—. Sigue por la segunda estrofa.

—Pero ¿cómo habla de los dedos de los pies? —dijo la Falsa Tortuga, con tozudez—. ¿Cómo podía tocarlos con toda la nariz?

—Es la primera postura de la danza —dijo Alicia, que, no obstante, se sentía completamente trastornada con todo aquello y estaba deseando cambiar cuanto antes de tema.

—Anda, empieza la segunda estrofa —repitió el Grifo con impaciencia—. ¿No es así?: «Yo pasé por su jardín...».

Alicia no se atrevió a desobedecer, por más que estaba convencida de que todo lo diría al revés, y volvió a recitar con voz temblorosa:

Yo pasé por su jardín
y vi, bajo la enramada,
que un mochuelo y una ostra
partían una empanada.

—¿A qué conduce repetir toda esta monserga —dijo la Falsa Tortuga—, si no lo vas explicando al mismo tiempo? Eso excede en mucho a las cosas más confusas que haya oído en mi vida.

—Sí, creo que más vale dejarlo correr —opinó el Grifo.

De lo cual Alicia se alegró muchísimo.

—¿Pasamos a otra figura del baile de la Langosta? —añadió el Grifo—. ¿O prefieres que la Falsa Tortuga te cante algo?

—¡Oh, sí; una canción, si no es molestia para la Falsa Tortuga! —respondió Alicia, y lo hizo con tal precipitación, que el Grifo, un poco picado, dijo:

—¡Ejem! Contra gustos no hay nada escrito. Cántale, amiga mía, cántale la canción de la sopa de la Tortuga.

La Falsa Tortuga dio un profundo suspiro y se puso a cantar lo siguiente, con la voz entrecortada por sus monótonos sollozos:

Verde y rica, en la sopera,
la sopa de tortuga espera.
Ante este manjar, ¿quién pide otra cosa?
¡Sopa de la noche, fina y deliciosa!

¡Sopa de la noche, riquísima sopa!
¡Ri... quí... si... ma... so... pa!
¡Ri... quí... si... ma... so... pa!
¡Soo... oopa de la noo... che,
rica, ri... quí... si... ma sopa!

Rica sopa, no hay bocado
de ave, fruta ni pescado
que valga siquiera lo que un solo real
de esta sopa verde, rica y sin igual.

Venga un realito de esta rica sopa.
¡Ri... quí... si... ma... so... pa!
¡Ri... quí... si... ma... so... pa!
¡Soo... oopa de la noo... che,
rica, ri... quí... si... ma sopa!

—¡Vuelta al coro! —exclamó el Grifo.

Mas no bien hubo comenzado a repetir el estribillo la Falsa Tortuga, se oyó en la distancia una voz que pregonaba así:

—¡Va a comenzar la vista del proceso!

—¡Vamos para allá! —le dijo el Grifo a Alicia, y cogiéndola de la mano echó a correr con ella, sin esperar el final de la canción.

—¿Qué proceso es ése? —preguntó Alicia, desalentada, mientras corrían.

Pero el Grifo sólo le dijo:

—¡Vamos pronto!

Y corría con todas sus fuerzas. A sus espaldas, cada vez se hacía más débil la voz que, en la brisa que les seguía, les enviaba estas palabras:

¡Soo... oopa de la noo... che,
rica, ri... quí.. si... ma sopa!

¿Quién robó las tortas?

Capítulo 11

Cuando llegaron, el Rey y la Reina de Corazones estaban sentados en sus tronos y rodeados de una multitud compuesta por toda suerte de pajarillos y animalejos, entre los que se hallaba también la baraja de naipes; la Sota comparecía ante los reyes, de pie y encadenada, custodiada por dos centinelas. Cerca del Rey estaba el Conejo Blanco con una corneta en una mano y un rollo de pergamino en la otra. En medio de la sala había una mesita, encima de la cual se veía una fuente llena de tortas. Tenían tan buen aspecto, que le abrieron a Alicia el apetito.

«¡Ojalá hubiese terminado la audiencia —pensó— y fuera la hora del refrigerio!» Mas, de momento, este deseo no parecía próximo a cumplirse; así es que Alicia se entretuvo en matar el tiempo observando con mucha atención a un lado y a otro.

Nunca había estado Alicia en una sala de la audiencia, pero sí leyó algo sobre el particular, y la complacía advertir que recordaba el nombre de casi todo lo que allí había.

—Aquel es el juez —se dijo—, porque lleva una peluca blanca.

Y daba la casualidad de que el juez era el mismo Rey, que, como llevaba la corona encima de la peluca, parecía hallarse bastante incómodo; y, en efecto, se sentía muy molesto.

—Este debe de ser el banquillo del acusado —siguió diciéndose Alicia—, y esas doce criaturas —pues se veía obligada a llamarles «criaturas», ya que era un grupo compuesto por animalitos de la tierra y avecillas— creo que son los jurados.

Se repitió estas palabras varias veces, sintiéndose orgullosa de sus conocimientos, pues comprendía que pocas serían las niñas que a su edad estuvieran enteradas de todo aquello. Ella entendía, además, que, lo mismo que «jurado» sería llamarlos «sentenciadores».

Los doce jurados estaban muy abstraídos escribiendo en unas pizarras.

—¿Qué hacen? —preguntó Alicia al oído del Grifo—. Porque no han de saber qué poner antes de comenzar el juicio.

—Escriben su nombre —murmuró el Grifo en contestación—, pues temen que se les olvide antes de terminar la sesión.

—¡Gentecilla estúpida! —empezó a decir a voz en grito Alicia.

Pero se tuvo que callar, porque el Conejo Blanco lanzó la voz de:

—¡Silencio, señores!

Y el Rey se puso los lentes para ver si descubría al que estaba hablando.

Alicia vio, mirando por encima de los hombros de los jurados, que éstos estaban escribiendo en sus pizarras algo como «gentecilla estúpida»; es más, advirtió que una de aquellas bestezuelas no sabía cómo escribir la palabra «estúpida», y tuvo que preguntárselo a su vecino.

«¡Qué lío habrá en las pizarras, de aquí a que la vista termine!», pensó Alicia.

A uno de ellos, el pizarrín le rechinaba, y Alicia no lo pudo soportar. De manera que dio un rodeo por la sala hasta colocarse a espaldas de aquel jurado, y en cuanto lo vio distraído le arrebató el pizarrín. Con tanta habilidad lo hizo, que el pobrecillo jurado, que no era otro sino Guillermín-Lagartija, no se dio cuenta de cómo había sido; de manera que, después de cansarse de buscar por todas partes, se tuvo que resignar a escribir con el dedo, lo cual no le servía de nada.

—¡Lea la acusación el Heraldo! —ordenó el Rey.

E inmediatamente el Conejo Blanco dio tres cornetazos, desenrolló el pergamino y leyó así:

La Reina de Corazones hizo unas tortas
en un día de verano;
pero se las robó la Sota
y las estuvo ocultando.

—Dictad el veredicto —dijo el Rey a los jurados.

—¡Eh, todavía no! —intervino, presuroso, el Conejo—. ¡Antes hay que hacer muchas cosas!

—Llamad al primer testigo —dijo entonces el Rey.

Y el Conejo Blanco dio tres toques de corneta y dijo en voz alta:

—¡Primer testigooo!

El primer testigo era el Sombrerero. Compareció con una taza de té en una mano y en la otra una tostada con mantequilla.

—Pido perdón a Vuestra Majestad por traer las manos ocupadas, pero es que cuando fueron por mí, no había terminado de merendar.

—Pues debías haber estado listo —le dijo el Rey—. ¿Cuándo te pusiste a merendar?

El Sombrerero volvió los ojos a la Liebre Marceña, que le había seguido del brazo del Lirón, y dijo por fin:

—Creo que fue el día catorce de marzo.

—El quince —rectificó la Liebre.

—El dieciséis —agregó el Lirón.

—Tomad nota de todo eso —dijo el Rey a los jurados.

Y estos lo hicieron muy afanosamente en sus pizarras. Luego sumaron los tres datos y redujeron la respuesta a pesetas y céntimos.

—¡Descubríos! —ordenó el Rey al Sombrerero.

—El sombrero no es mío —confesó el Sombrerero, lleno de turbación.

—¡Sombrero robado! —exclamó el Rey volviéndose a los jurados, que escribieron en el acto un relato del hecho.

—Es que todos los que tengo están en depósito en mi tienda. No son de mi propiedad, pues soy un simple intermediario.

A esto, la Reina se puso los lentes y empezó a mirar fijamente al Sombrerero, que palideció y se puso muy nervioso.

—¡A declarar! —le dijo el Rey—, y no te pongas nervioso si no quieres que te haga fusilar en el sitio.

Estas palabras no parecieron infundir ánimo al Sombrerero; antes bien, este comenzó a bailar sobre un pie y otro, mirando con cara de gran malestar a la Reina, y en su turbación dio un mordisco y se comió un pedazo de taza en vez de morder el pan. En aquel momento, Alicia empezó a sentir una extraña sensación, que la preocupó mucho hasta que empezó a comprender lo que era: había empezado a crecer otra vez. Temió al momento tenerse que ir de la sala; pero luego se decidió a permanecer allí en tanto que hubiese sitio para ella.

—¡Haz el favor de no apretujarme así! —dijo el Lirón, que estaba sentado junto a ella—. Apenas puedo respirar.

—No puedo evitarlo —le contestó Alicia—: estoy creciendo.

—No hay derecho a venir a crecer aquí —replicó el Lirón.

—No diga tonterías —añadió Alicia, con más ánimo cada vez—.También usted está creciendo.

—Sí, pero yo crezco a un paso comedido. No lo hago de esa manera que da risa.

—Y se levantó bruscamente para irse al otro lado de la sala.

Entre tanto, la Reina no había apartado la mirada del Sombrerero y, en el momento en que el Lirón cruzaba la sala, dijo a los ujieres de la audiencia:

—Traedme la lista de los que cantaron en el último concierto.

Al oír estas palabras, el Sombrerero se echó a temblar de tal manera que se le salieron las botas, como si tuviera las piernas de alambre.

—Declara de una vez —ordenó el Rey—, si no quieres que te mande ejecutar, tanto si tiemblas como si no.

—Yo soy un pobre hombre, Majestad —empezó a decir el Sombrerero, con voz tremulosa—. Y apenas había comenzado a tomar el té..., no hará más de una semana..., y entre que las tostadas con man-

In this Style 10/6

tequilla se hacían tan delgadas... y que empezó el temblequeo del té...

—¿El temblequeo de qué? —inquirió el Rey.

—Empezó con el té —contestó el Sombrerero.

—Naturalmente, empieza con T —repuso el Rey, con aspereza—. ¿Crees que hablas con un idiota? ¡Sigue!

—Yo soy un pobre hombre —insistió el Sombrerero reanudando su declaración—. Comenzaron a temblequear muchas cosas, apenas la Liebre Marceña empezó a decir...

—¡Yo no dije una palabra! —se apresuró a interrumpir la Liebre.

—¡Sí, lo dijiste! —insistió el Sombrerero.

—¡Yo lo niego! —volvió a decir la Liebre Marceña.

—Lo ha negado —observó el Rey—. Basta de este asunto.

—Pero, sea como sea, lo cierto es que el Lirón dijo que... —prosiguió el Sombrerero volviendo la cabeza por si también el Lirón le desmentía; pero este se había quedado profundamente dormido.

«Después —prosiguió el Sombrerero— corté un poco más de pan y tomé más mantequilla...

—Pero ¿qué dijo el Lirón? —preguntó un jurado.

—No me es posible recordarlo —contestó el Sombrerero.

—Es preciso que lo recuerdes —dijo el Rey—, si no quieres que te ejecuten.

El infeliz Sombrerero dejó caer la tostada y la taza, e hincó una rodilla en el suelo.

—Majestad —empezó a decir de nuevo—, yo soy un pobre hombre.

—Lo que tú eres es un pobre orador.

En este momento, uno de los Conejillos de Indias dijo:

—¡Bravo, bravo!

Y los ujieres lo reprimieron inmediatamente. Convendría explicar esta palabra, que parece un poco dura. Lo hicieron así: tenían los ujieres un gran saco de lona que se ataba con una cuerda por la boca. Metieron en él al Conejillo de Indias, y luego se sentaron encima.

—Celebro haber presenciado esta operación —dijo Alicia—, pues algunas veces he leído en el periódico que al final de una defensa suele haber un poco de agitación, que es reprimida por los ujieres. Ahora veo lo que quiere decir.

—Si todo lo que tienes que añadir es eso, ya puedes bajar —dijo el Rey al Sombrerero.

Este, como estaba arrodillado, contestó:

—Señor, no puedo bajar más.

—Entonces, ve a sentarte.

En aquel momento, otro Conejillo de Indias aplaudió también, y fue asimismo reprimido.

«¡Adiós, Conejillo de Indias! —pensó Alicia—. Ahora la cosa irá mejor.»

—Preferiría irme a terminar el té —dijo el Som-

brerero mirando a la Reina, que consultaba la lista de los cantantes.

—Digo que puedes retirarte —dijo entonces el Rey.

Y al Sombrerero le faltó tiempo para salir del palacio de justicia más que corriendo, sin acordarse siquiera de las botas.

—¡Y que le corten la cabeza fuera de aquí! —añadió la Reina.

Mandó a uno de los ujieres que lo detuviera; pero llegó tarde, y el Rey dijo:

—Comparezca otro testigo.

Este era la Cocinera de la Duquesa. Traía el bote de la pimienta en una mano, y antes de verla, Alicia adivinó quién era, pues los que se hallaban junto a la puerta empezaron a estornudar al acercarse el nuevo testigo.

—¿Qué declaras tú? —le preguntó el Rey.

—¡Nada! —respondió la Cocinera.

El Rey miró intranquilo al Conejo Blanco, que le dijo en voz baja:

—Su Majestad debe volver a examinar muy detenidamente a esa testigo.

—Sí, debo hacerlo, no hay más remedio que pasar por ese trance —se dijo el Rey en tono melancólico.

Y, cruzándose de brazos y mirando ceñudamente a la Cocinera hasta casi saltársele los ojos, le preguntó con voz airada:

—¿Con qué se hacen las tortas?

—Especialmente con pimienta —dijo la Cocinera.

—Con triaca —dijo una voz soñolienta a sus espaldas.

—¡Ahorcad a ese Lirón! —dijo la Reina chillando—. ¡Sacadlo al punto! ¡Suprimidlo! ¡Pellizcadle! ¡Fuera sus bigotes!

Toda la sala estuvo un rato agitada en gran

confusión, mientras el Lirón era expulsado, y cuando todo el mundo volvió a su sitio, la Cocinera había desaparecido.

—No importa —dijo el Rey como si se le hubiera quitado un peso de encima—. Que salga otro testigo. Y dirigiéndose a la Reina, le dijo a media voz—: Te digo de veras que debieras encargarte tú de examinar detenidamente al nuevo testigo, porque a mí eso me da dolor de cabeza.

Observando al Conejo Blanco, que repasaba entre dientes la lista, Alicia estaba impaciente por ver quién sería el otro testigo, pues se decía para sí:

«Todavía no tienen muchas pruebas.»

Imagínese cuál sería su sorpresa cuando el Conejo Blanco pronunció con lo más agudo de su vocéenla el siguiente nombre:

—¡Alicia!

La declaración de Alicia

Capítulo 12

¡Estoy aquí! —contestó Alicia, olvidándose, con la precipitación del momento, de lo mucho que había crecido hacía poco.

Y se levantó tan deprisa que rozó la tribuna de los jurados con el borde de la falda, derribándolos a todos encima de la gente que había al pie; y el verlos agitándose allá abajo le recordó cómo saltaban los peces de una pecera que había derribado hacía una semana en su casa.

—¡Ay! Ustedes perdonen, señores —dijo en tono de gran pesar.

Y los empezó a levantar con la mayor diligencia, pues el accidente de la pecera la obsesionaba, y recordaba que era preciso recogerlos en el acto

y volver a meterlos en el palco de los jurados, pues de lo contrario se morirían.

—No puede continuar la vista mientras los jurados no estén cada cual en su sitio —dijo el Rey, con mucha gravedad. Y añadió rotundamente y mirando con dura severidad a Alicia—: Hasta que estén todos en sus sitios, sin faltar uno.

Alicia miró a la plataforma de los jurados y vio que con las prisas había puesto a la pobre Lagartija de cabeza, de manera que el animalito agitaba la cola con melancolía, sin poderse mover de aquella postura. Ella la puso bien enseguida, aunque pensando: «No creo que esto ponga ni quite gran cosa al proceso. Podía muy bien celebrarse la sesión estando este animalito de espaldas».

En cuanto el jurado se repuso un poco de la emoción de la caída y todos hubieron recuperado sus pizarrines y sus pizarras, se entregaron con afán a redactar el relato del accidente. Sólo la Lagartija permanecía inactiva, como demasiado alterada por lo sucedido, mirando al techo boquiabierta.

—¿Qué sabes tú de este asunto? —preguntó el Rey a Alicia.

—Nada, señor —dijo esta.

—¿Nada en absoluto? —insistió el Rey.

—En absoluto —volvió a decir Alicia.

—Eso es muy importante —observó el Rey volviéndose a los jurados.

Estos habían comenzado a escribir, cuando el Conejo Blanco observó:

—Su Majestad quiere decir que es muy poco importante. Poned: «No importante».

Y lo dijo en el tono más respetuoso que pudo, pero mirando al Rey y haciendo un guiño de inteligencia. Y al monarca le faltó tiempo para rectificar:

—Por supuesto, «no importante». —Y empezó a decirse entre dientes—: Importante, no importante, importante, no importante —como ensayando de qué manera sonaba mejor.

Unos jurados pusieron «importante», y otros «no importante». Alicia lo comprobó porque veía cómodamente las pizarras desde lo alto, y se volvió a decir para sus adentros:

—Eso sí que ni quita ni pone.

En aquel momento, el Rey, que había estado muy ocupado escribiendo algo en su cuaderno de notas, exclamó:

—¡Silencio! —Y agregó, leyendo en su cuaderno—: Artículo cuarenta y dos del reglamento: «Todo aquel que pase de la talla de un metro y medio será excluido de la sala.»

Todas las miradas se fijaron en Alicia.

—Pero yo —dijo ella— no tengo un metro y medio de estatura.

—Sí —afirmó el Rey.

Y la Reina corroboró:

—Casi dos.

—¿Y qué? Yo no me voy por eso —protestó Alicia—, porque, además, esa no es una disposición regular; la acaba de inventar Su Majestad.

—Es el artículo más antiguo del reglamento —dijo el Rey.

—Entonces llevaría el número uno —objetó Alicia.

El Rey palideció y cerró el cuaderno precipitadamente. Y volviéndose al jurado, dijo sin alzar mucho su temblorosa voz:

—Ahora venga el fallo.

—Todavía hay más pruebas, Majestad —dijo el Conejo Blanco saltando con vehemencia—. Acaba de ser cogido del suelo este papel.

—¿Qué dice?

—No ha sido abierto todavía —respondió el Conejo Blanco—; mas parece una carta dirigida por el inculpado a..., yo creo que a alguna persona.

—Así debe de ser —observó el Rey—, a menos que no esté dirigida a nadie, cosa fuera de lo normal, ¿comprendes?

—¿A quién va escrito el sobre? —se le ocurrió preguntar a uno de los jurados.

—No trae dirección —dijo el Conejo Blanco—. El sobre viene en blanco. —Y desdoblando el papel, añadió—. No se trata de una carta. Es una retahíla de versos.

—¿Son de puño y letra del prisionero? —preguntó otro jurado.

—No —dijo el Conejo Blanco
y eso es lo más raro del caso.

Los jurados estaban perpl
jos.

—Es que habrá desfigura
su letra —observó el Rey.

Todo el jurado se reanimó
estas palabras.

—Por favor, Majestad, que
no he escrito eso ni hay qui
pueda probarlo: el escrito
trae firma alguna.

—El no haberlo firmado agr
va la culpa —aseveró el Rey
Debes querer decir que te di
trajiste, pues de lo contrar
tenías que firmar como homb
honrado.

Hubo aplausos unánimes. Era lo primero en verdad interesante que se le había ocurrido a Su Majestad durante la sesión.

—Eso demuestra que es culpable —afirmó la Reina.

—¡Eso no prueba nada! —protestó Alicia—. ¡Cómo puede afirmarse así, cuando ni siquiera se han leído las estrofas!

—Que se lean —ordenó el Rey.

El Conejo Blanco se caló los lentes.

—¿Quiere decirme Su Majestad por dónde quiere que comience?

—Comienza por el principio y no pares hasta el final.

He aquí los versos que leyó el Conejo Blanco:

—Me han dicho que fuiste con ella,
y que de mí te llegó a hablar.
Y aunque a mi humor no le hace mella,
dijo que yo no sé nadar.

Él escribió que yo no fui
(todos sabemos que es verdad).
¿Di, qué sería, pues, de ti,
si ella inquiere la realidad?

Dale uno a ella y a él le dan dos,
y tú nos das lo menos tres.

Mas eran míos todos los
que te devuelven, como ves.

Si ella y yo nos vemos un día
entre madejas de procesos,
juro que los defendería
para que no sean presos.

Hoy mi opinión es que tú fuiste
(antes de que ella se enojara)
el obstáculo que surgiste
entre ellos, yo y la verdad clara.

No se entere que quiso más
a los otros. Quede esto aquí,
sin que lo sepan los demás,
para ti solo y para mí.

—Esta es la prueba más importante que poseemos —dijo el Rey frotándose las manos—. Ahora, pues, que dicten los jurados...

—Si alguno se ve capaz de explicar esa prueba tan evidente —dijo Alicia, sin miedo ya de interrumpirle, por lo mucho que había crecido en un momento—, yo le doy media peseta. No hay en todo eso ni una palabra que tenga sentido.

Todos los jurados se apresuraron a escribir en sus pizarras estas palabras: «No hay en todo ello ni una palabra que tenga sentido»; pero se guardaron muy bien de intentar poner en claro lo que decía aquel papel.

—Si no tiene ningún sentido —observó el Rey—, tanto mejor, pues nos ahorra una barbaridad de preocupaciones que nos daría el tener que interpretarlo. Sin embargo, no sé —agregó desarrugando el papel de los versos en la rodilla y mirándolos con un ojo cerrado—, creo adivinar algún sentido en ellos... «Dijo que yo no sé nadar» —repitió leyendo; y volviéndose al punto a la Sota, le hizo esta pregunta—: ¿De veras no sabes nadar?

La Sota movió la cabeza tristemente y dijo:

—¿Tengo yo aspecto de nadador?

La verdad es que no lo tenía, puesto que se trataba de un naipe de cartón.

—Hasta aquí muy bien —dijo el Rey; y siguió murmurando entre dientes los versos en esta forma—: «Todos sabemos que es verdad». Esto lo dice el jurado, por supuesto. «Dale uno a ella, y a él le dan dos.» ¡Ya!, eso es lo que debió de hacer con los bollos, ¿comprendéis?

—Pero es que luego dice —observó Alicia—: «Mas eran míos todos los que te devuelven, como ves.»

—¡Claro, como que están todos ahí! —exclamó el Rey, victorioso, señalando a los pasteles que estaban en la mesa—. ¿Queréis nada más claro? Luego dice: «Antes de que ella se enojara». —Y volviéndose a la Reina le preguntó—: Tú nunca te enojaste, ¿no es eso, querida?

—¡Nunca! —dijo la Reina con furia, arrojando un tintero a la Lagartija al pronunciar estas palabras.

El desdichado Guillermín se había desengañado de que escribir con la yema del dedo no conducía a nada, por lo que desistió de ello; pero ahora se puso inmediatamente a escribir mojando el dedo en la tinta que le goteaba por la cara.

—Resulta, pues —dijo el Rey, sonriente y paseando la mirada por la sala—, que estas palabras del verso no tienen relación contigo y nada prueban.

Hubo un silencio mortal.

—Se trata de un chiste, de un bromazo —añadió el Rey lleno de enojo.

Y todo el mundo soltó la carcajada.

Y por vigésima vez al menos aquel día, el Rey ordenó:

—Ahora pronuncie el jurado su veredicto.

—¡No, no! —clamó la Reina—. Lo primero las sentencias; el veredicto, luego.

—¡Simplezas y tonterías! —exclamó Alicia alzando la voz—. ¡Qué ocurrencia pedir antes la sentencia que el fallo!

—¡Tú cállate! —gritó la Reina, encendida como la grana.

—¡No quiero! —respondió Alicia.

—¡Cortadle la cabeza! —ordenó la Reina chillando cuanto pudo.

Pero nadie se movió.

—¿Quién va a haceros caso? —dijo Alicia, que había vuelto a su estatura normal—. ¿No comprende Vuestra Majestad que toda la corte no es más que un juego de naipes?

Y en aquel momento, todas las cartas de la baraja se levantaron por el aire formando un torbellino alrededor de ella. Alicia lanzó un leve grito, mezcla de miedo y de enojo; y al esforzarse por apartarlas, se encontró con que se hallaba sentada en el margen del campo, junto a su hermana, con la cabeza apoyada en su falda, mientras esta iba apartando cuidadosamente algunas hojas secas que, desprendidas de las ramas, le habían caído en la cara.

—¡Alicia! ¡Nena! Despierta ya. ¡Cuánto has dormido! —le dijo su hermana.

—¡Oh, si supieras qué cosas más extrañas he soñado! —contestó Alicia.

Y le contó, lo mejor que supo y según fue recordando, todas las aventuras que le pasaron y que vosotros acabáis de leer. Así que hubo terminado, su hermana le dio un beso y le dijo:

—Ha sido un sueño verdaderamente extraño, nena; pero ¿sabes que es tarde y que no has merendado aún?

Alicia se levantó y se fue corriendo a su casa, sin poder apartar el pensamiento de las cosas extraordinarias que había visto en sueños.

Ahora bien, su hermana permaneció inmóvil, apoyada la cabeza en la palma de la mano, la mirada perdida en el cielo del ocaso, y el pensamiento siguiendo a la pequeña a través de sus maravillosas aventuras, hasta que también ella empezó a soñar a su manera, y he aquí lo que vio:

Empezó por imaginarse a su hermanita Alicia: le parecía tenerla todavía a su lado, poniéndole las manos en las rodillas y mirándola con sus ojuelos claros y anhelantes... Oía todos los matices de su voz y observaba el delicado movimiento con que su cabecita echaba hacia atrás los bucles que le ponían con insistencia hebras en los ojos. Y luego, en la calma de la tarde, empezó a oír o a fingirse que percibía los rumores que producían los extraños seres del sueño de Alicia y que llenaban de vida el campo.

La hierba alta temblaba cuando el Conejo Blanco saltaba a sus pies; el Ratoncillo medroso cruzaba, salpicando, un charco cercano; sonaba el tintineo de las tazas y las cucharillas de la Liebre Marceña, que continuaba con sus amigos en una inacabable merienda; la penetrante vocecilla de la Reina seguía repartiendo penas de muerte entre los infelices invitados; otra vez el niño cerdito estornudaba en la falda de la Duquesa, mientras los platos y las fuentes se estrellaban alrededor; todavía el chillido del Grifo, el chirrido del pizarrín de la Lagartija y el incidente de la represión de los

Conejillos de Indias eran visiones y rumores que poblaban el aire, a lo que se mezclaba el distante sollozar de la Falsa Tortuga.

De esta manera, la hermana de Alicia cerró los ojos y se creyó casi en el País de las Maravillas, aunque sabía que no tenía que hacer más que abrir los. párpados para encontrarse otra vez en la triste realidad... La hierba solo se ondularía al paso del viento y el charco solo se agitaría al temblor de las cañas... El tintineo del servicio de té se trocaría por el tintineo de las esquilas, y los gritos de la Reina, en las voces que daba un zagal... En fin, los estornudos del rorro, los chillidos del Grifo y todos los otros ruidos extraños se transformarían —estaba bien segura de ello— en el rumor confuso del trajín del patio de la granja, en tanto que el balar del ganado, que venía de lejos, equivaldría a los profundos sollozos de la Falsa Tortuga.

Finalmente, se trazó a sí misma un cuadro de su hermanita, ya mayor, hecha una mujer que conservaría a lo largo de sus años más floridos el corazón sencillo y tierno de su infancia; la veía rodeada de otros niños que la contemplaban con ojillos claros y anhelantes, mientras ella les contaba unas raras historias, acaso la de sus aventuras de antaño en el País de las Maravillas, y observaba como sentía las mismas penas ingenuas y los mismos entusiasmos sencillos que ellos, complacida en evocar de esta suerte los días felices de las vacaciones estivales.